Erste Schritte
PLUS **NEU**

Deutsch
als Zweitsprache
Kursbuch

EINSTIEGSKURS

Daniela Niebisch
Jutta Orth-Chambah
Dörte Weers
Renate Zschärlich

Hueber Verlag

Für zahlreiche praktische Hinweise danken wir:

Myriam Fischer-Callus, EUROLTA Projektmanagerin
und Lehrerfortbildnerin, Aschaffenburg

Elisabeth Stein, Fachbereichsleiterin Sprachen und Integration,
vhs SüdOst im Landkreis München

| 5. 4. 3. | Die letzten Ziffern |
| 2022 21 20 19 18 | bezeichnen Zahl und Jahr des Druckes. |

Alle Drucke dieser Auflage können, da unverändert,
nebeneinander benutzt werden.
1. Auflage
© 2016 Hueber Verlag GmbH & Co. KG, München, Deutschland
Zeichnungen: Jörg Saupe, Düsseldorf; Gisela Specht, Weßling
Redaktion: Andrea Haubfleisch, Frankfurt am Main; Ingo Heyse und
Agnieszka Bogacz-Groß, beide Hueber Verlag, München
Umschlaggestaltung: Sieveking · Agentur für Kommunikation, München
Layout und Satz: Sieveking · Agentur für Kommunikation, München
Druck und Bindung: Passavia Druckservice GmbH & Co. KG, Passau
Printed in Germany
ISBN 978-3-19-371911-9

Art. 530_23407_001_03

Vorwort

Liebe Kursleiterin, lieber Kursleiter,

Erste Schritte plus neu ermöglicht Ihren Lernenden einen behutsamen Einstieg in Sprache und Kultur. Das Lehrwerk, bestehend aus Kurs- und Trainingsbuch, ist besonders für Kurse mit Flüchtlingen und Asylsuchenden geeignet, richtet sich aber auch an Teilnehmerinnen und Teilnehmer an Förderkursen im Inland sowie an vorintegrativen Kursen im Ausland. In *Erste Schritte plus neu* stehen besonders die Förderung der Sprechfähigkeit sowie die Entwicklung der Lese- und Schreibkompetenz im Vordergrund.

Der Einstiegskurs besteht aus zehn Lektionen à acht Seiten. In kurzen und überschaubaren Lernschritten werden Wortfelder zu alltäglichen Themen wie *Herkunft*, *Aktivitäten* oder *Einkaufen* vorgestellt und einfache Sprachstrukturen erarbeitet.

Ziel ist, dass die Lernenden einfache Alltagssituationen sprachlich meistern können. Zugleich lernen sie den Umgang mit kurzen Lese- und Hörtexten kennen und eignen sich erste Lernstrategien / ein erstes Wörterbuchwissen an, um erfolgreich in einem Deutschkurs der Grundstufe weiterarbeiten zu können. Das klare, luftige Layout mit großer Schrift kommt insbesondere Lernenden entgegen, die noch lese- und schreibungewohnt sind. Auf der jeweils letzten Seite der Lektion wird der Lernstoff in einer übergreifenden Aufgabe zusammengefasst und wiederholt, sodass die Lernenden ihre Lernfortschritte bewusst wahrnehmen. Außerdem ist der zentrale Wortschatz aufgelistet.

Im Anhang befinden sich acht „Wimmelbilder", mit denen Sie weiteren Wortschatz visualisieren können. Im Lehrwerkservice (www.hueber.de / erste-schritte-plus-neu) stehen Ihnen kostenlos weitere Informationen, eine Lehrerhandreichung und zahlreiche Kopiervorlagen sowie Glossare für die Lernenden zur Verfügung. Die Hörtexte lassen sich über die App ESPN oder die gesondert erhältliche Audio-CD (978-3-19-391911-3) abspielen.

Viel Erfolg und viel Spaß mit
Erste Schritte plus neu
wünschen Ihnen

Autorinnen und Verlag

Symbole / Piktogramme

Hörtext   ◀)) 12

Redemittel   [Was sind Sie / bist du von Beruf?]

Grammatik   Michael / mein Sohn ⟶ er
                  Maria / meine Tochter ⟶ sie

Hinweis

Inhalt

A Hallo! Guten Tag!

A1 Hören Sie und lesen Sie.
◀)) 1–8

■ Guten Morgen.
● Guten Morgen, Mama.

▲ Guten Tag, Frau Lang.
◆ Guten Tag.

● Guten Abend, Herr Kern.
▲ Guten Abend.

● Hallo, Hassan.
▲ Hallo, Lukas.

◆ Hallo, Tom.
▲ Guten Tag, Frau Guhl.

● Tschüs.
◆ Tschüs.

■ Auf Wiedersehen.
● Gute Nacht.

A2 Ordnen Sie die Wörter aus A1 zu. Hören Sie und sprechen Sie nach.
◀)) 9–10

A   H a l l o

G _ t _ n _ o _ g _

_ u _ e _ A _

_ T _

B   G u t e   N a c h t

_ s _ h _ s _

W _ _ d _ _ h _

B Ich heiße ...

◀)) 11 B1 Hören Sie und lesen Sie.

Guten Tag! Ich heiße Sonja Hauser. Und wie heißen Sie?

Ich heiße Adiba Al-Shami.

Ich heiße ...
Wie heißen Sie?

B2 Und wie heißen Sie? Schreiben Sie.

Ich hei_____.

B3 Kettenübung: Fragen Sie und antworten Sie.

■ Ich heiße ... Wie heißen Sie?
  ● Ich heiße ... Und wie heißen Sie?
    ▲ Ich heiße ...
      ◆ ...

◀)) 12 B4 Hören Sie und lesen Sie.

■ Hallo. Ich heiße Anja Kraus.
  Und wie heißen Sie?
● Ich heiße Shirin Hatami.
■ Wie bitte? Wie heißen Sie?
● Shirin Hatami.
■ Wie schreibt man das?
● S H I R I N   H A T A M I.

🔊 13 **B5** Das Alphabet. Hören Sie und lesen Sie.

A	a	*a*		K	k	*ka*		U	u	*u*
B	b	*be*		L	l	*ell*		V	v	*fau*
C	c	*tse*		M	m	*emm*		W	w	*we*
D	d	*de*		N	n	*enn*		X	x	*iks*
E	e	*e*		O	o	*o*		Y	y	*üpsilon*
F	f	*eff*		P	p	*pe*		Z	z	*tsett*
G	g	*ge*		Q	q	*ku*		Ä	ä	*ä*
H	h	*ha*		R	r	*err*		Ö	ö	*ö*
I	i	*i*		S	s	*ess*		Ü	ü	*ü*
J	j	*jott*		T	t	*te*			ß	*ess-tsett*

B6 Buchstabieren Sie Ihren Namen.
Ihre Partnerin / Ihr Partner schreibt.

> *Ich heiße Leila Zangeneh.*
> *L E I L A Z...*

B7 Wie heißen die Teilnehmer im Kurs? Fragen Sie und schreiben Sie.
Machen Sie dann eine alphabetische Kursliste.

> *Wie heißen Sie?*
>
> *Niamh Henry.*

> *Wie bitte? Wie schreibt man das?*
>
> *N I A M H H E N R Y.*

A Ali
B ....
C ....

B8 Was fehlt? Ergänzen Sie das ABC.

A B C D .... G .... J
a b c .... f i

..... M ..... P ..... S .....
l ..... o ..... r .....

..... V ..... Y .....
u ..... x .....

C Wie geht es Ihnen?

◀)) 14 **C1** **Hören Sie und lesen Sie.**

- ■ Guten Morgen, Herr Thaler!
- ● Hallo, Frau Karimi! Wie geht es Ihnen?
- ■ Danke, gut. Und Ihnen?
- ● Auch gut, danke.

C2 **Ergänzen Sie.**

Ihnen	Wie geht es Ihnen	danke

- ● Hallo! ....?
- ▲ Sehr gut, danke. Und ....?
- ● Auch gut, ...

C3 **Ordnen Sie zu.**

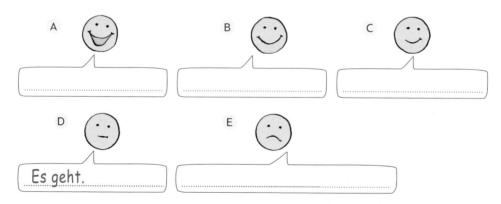

~~Es geht.~~ Sehr gut. Gut. Nicht so gut. Super.

A ☺ ....

B ☺ ....

C ☺ ....

D ☺ Es geht.

E ☹ ....

C4 **Zeichnen Sie fünf Kärtchen. Fragen Sie und antworten Sie.**

- ● Wie geht es Ihnen?
- ▲ Danke, gut. Und Ihnen?
- ● Es geht.

- ▲ Wie geht es Ihnen?
- ● ... Und Ihnen?
- ▲ ...

C5 Trennen Sie die Wörter und schreiben Sie.

● guten|morgen|frau|müller   Guten Morgen, Frau Müller.

▲ hallofrauberger   ....

  wiegehtesihnen   ....

● dankegutundihnen   ....

▲ auchgut   ....

  aufwiedersehenfrauberger   ....

● aufwiedersehenfraumüller   ....

C6 Schreiben Sie die Fragen.

● Wie .... ?

▲ Ich heiße Vera Zettler.

● .... , Frau Zettler   ?

▲ V E R A   Z E T T L E R.

● .... ?

▲ Danke, sehr gut. .... ?

● Auch sehr gut, danke.

C7 Kursspaziergang: Fragen Sie und antworten Sie.

■ Hallo. Ich heiße ... Wie heißen Sie?
▲ Hallo. Ich heiße ...
  Wie geht es Ihnen, Frau / Herr ... ?
■ Danke, sehr gut. Und Ihnen?
▲ Auch gut.

D Es ist ein Uhr.

D1 Hören Sie und sprechen Sie nach.

1 2 3 4 5 6 7 8 9 10 11 12

D2 Suchen Sie und schreiben Sie die Zahlen.

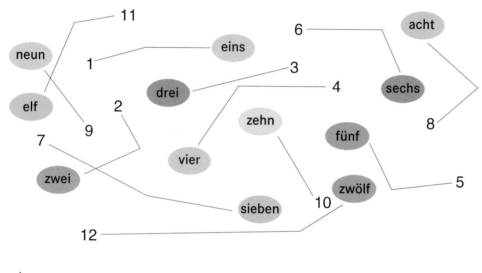

eins,

D3 Wie ist die Telefonnummer? Lesen Sie und kreuzen Sie an. ⊠

Magg, Eva	18 92 10	Mete, Bekir	12 31 45
Mahler, Emma	43 67 41	Mohr, Hermann	31 86 56
Makinwa, Josep	98 12 76	Mulaj, Bairam	83 45 65
Martini, Francesco	48 77 91	Mulka, Bozena	76 98 12

a Frau Mahler ○ vier – drei – sechs – sieben – vier – zwei
                         ○ vier – drei – sechs – sieben – vier – eins

b Herr Mete ○ eins – zwei – drei – eins – sechs – fünf
                      ○ eins – zwei – drei – eins – vier – fünf

c Frau Mulka ○ sieben – sechs – neun – acht – eins – zwei
                      ○ sieben – sechs – neun – eins – acht – zwei

D4 Schreiben Sie Kärtchen und spielen Sie das Memo-Spiel:
Was passt zusammen?

eins   zwei   drei

D5 Lesen Sie und ordnen Sie zu.

ein fünf neun zwei

Es ist   Es ist halb   Es ist Viertel nach   Es ist Viertel

.... Uhr.   ....   vor ....

◀)) 16   **D6** Uhrendiktat: Hören Sie und zeichnen Sie.

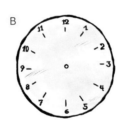   

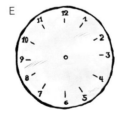   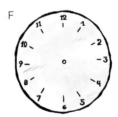

D7 Diktieren Sie Uhrzeiten.
Ihre Partnerin / Ihr Partner zeichnet.

Es ist halb acht.

D8 Nehmen Sie Ihre Zeichnungen aus D7. Fragen Sie und antworten Sie.

■ Wie spät ist es?   ● Es ist halb acht.

E Das kann ich

E Ihr Kurs: Machen Sie eine Liste mit Telefonnummern.

Name	Telefonnummer

Begrüßung und Abschied

Hallo. ....

Hallo, Frau / Herr ... .

Guten Morgen. ....

Guten Tag. ....

Guten Abend. ....

Gute Nacht. ....

Tschüs. ....

Auf Wiedersehen. ....

Vorstellung

Wie heißen Sie? ....

Ich heiße ... .

Nachfragen

Wie bitte? ....

Wie schreibt man das? ....

Befinden

Wie geht es Ihnen? ....

Danke, gut. ....

Und Ihnen? ....

Auch gut. ....

Super. ....

Sehr gut. ....

Es geht. ....

Nicht so gut. ....

Uhrzeit

Wie spät ist es? ....

Es ist halb acht. ....

Kurssprache

Hören Sie. ....

Lesen Sie. ....

Schreiben Sie. ....

Sprechen Sie. ....

Sprechen Sie nach. ....

Zeichnen Sie. ....

Fragen Sie. ....

Antworten Sie. ....

Diktieren Sie. ....

Ergänzen Sie. ....

Kreuzen Sie an. ....

Buchstabieren Sie. ....

Ordnen Sie zu. ....

Meine Familie

A   Das ist meine Familie.

17–19 **A1**   Hören Sie und lesen Sie.

■ Wer ist das?
▼ Das ist mein Mann.

▲ Wer ist das?
● Das ist meine Mutter, das ist mein
   Vater. Das sind Mario und Sofia, mein
   Bruder und meine Schwester.

◆ Das ist meine Familie. Das ist meine Frau.
   Das ist meine Tochter Melanie.
   Und das ist mein Sohn Robin.

A2   Ordnen Sie die Wörter aus A1 zu.

mein	meine
Mann	Frau

 mein Mann

meine Frau

A   Das ist meine Familie.

A3   Familie: Ergänzen Sie.

Das ist …

a Das ist mein <u>Mann</u> .

b Das ist mein
....

c Das ist mein
....

d Das ist mein
....

e Das ist meine
....

f Das ist meine
....

g Das ist meine
....

h Das ist meine
....

A4   Ergänzen Sie.

a mein Bruder und   <u>meine Schwester</u>

b meine Mutter und   ....

c mein Sohn und   ....

d meine Frau –   ....

A5   Spiel: „Buchstabenmaus".
Raten Sie Wörter zum Thema *Familie*.

s?   Nein.

u?   Ja.

Mutter?   Ja!

◀) 20 **B1** **Hören Sie und ordnen Sie das Gespräch.**

○ ● Hallo, Herr Fahmi.
○ ● Hallo, Maria.
    Hallo, Michael.
○ ▲ Hallo.
① ■ Guten Tag, Frau Kern.
○ ■ Das ist meine Tochter Maria.
    Sie ist zehn Jahre alt.
    Und das ist Michael. Er ist drei.

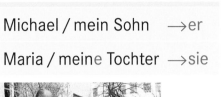
Michael / mein Sohn →er
Maria / meine Tochter →sie

B2 **Ergänzen Sie *er* oder *sie*.**

a mein Vater → er

b meine Schwester → ....

c meine Mutter → ....

d mein Mann → ....

e mein Bruder → ....

f meine Frau → ....

B3 **Ergänzen Sie.**

a Das ist Till.

Er ist

11 Jahre alt.

c Das .... Lana.

.... ist

6 Jahre ....

b .... ist Neha.

Sie .... 3.

d ....

Khaleel.

.... ist 8.

C Zahlen 13–100

◀) 21 **C1** Hören Sie und sprechen Sie nach.

(13) (14) (15) (16) (17) (18) (19)

dreizehn vierzehn fünfzehn sechzehn siebzehn achtzehn neunzehn

◀) 22 **C2** Welche Zahlen hören Sie? Kreuzen Sie an.

a	⊗ 6	◯ 16	d	◯ 2	◯ 3	g	◯ 14	◯ 15
b	◯ 2	◯ 12	e	◯ 11	◯ 12	h	◯ 16	◯ 17
c	◯ 9	◯ 19	f	◯ 10	◯ 15	i	◯ 13	◯ 18

C3 Rechnen Sie und sprechen Sie.

a $7 + 12 = \underline{19}$ c $6 + 10 =$ ....   e $9 + 5 =$ ....

b $8 + 3 =$ ....   d $11 + 7 =$ ....   f $3 + 4 =$ ....

> *Sieben plus zwölf ist neunzehn.*

C4 Diktieren Sie. Ihre Partnerin / Ihr Partner schreibt und rechnet.

> *Acht plus fünf?*

$8 + 5 = 13$

> *Acht plus fünf ist dreizehn.*

◀) 23 **C5** Hören Sie und sprechen Sie nach.

20   30   40   50   60

zwanzig dreißig vierzig fünfzig sechzig

70   80   90   100

siebzig achtzig neunzig hundert

C6 Ordnen Sie zu.

a 21 —— vierundfünfzig
b 32 einundzwanzig
c 43 zweiunddreißig
d 54 dreiundvierzig
e 65 sechsundsiebzig
f 76 fünfundsechzig

21
einundzwanzig

C7 Finden Sie fünf Zahlen und schreiben Sie.

dreiunddreißigeinundachtzigfünfundvierzigdreiundzwanzigzweiundsechzig

33 ....

◀)) 24 **C8** Hören Sie und schreiben Sie.   67 ....

C9 Quiz: Wie alt sind die Personen? Sprechen Sie.

A
Erwin Rothe
....

B
Karin Fiedler
....

C
Leonie Schneider
....

D
Florian Schäfer
....

Ich denke, Erwin Rothe ist 75 Jahre alt.

Nein. Ich denke, er ist 83 Jahre.

Okay: 83 Jahre.

Ich denke

◀)) 25 **C10** Wie alt sind die Personen? Hören Sie nun und schreiben Sie in C9.

D Meine Familie

◀)) 26-28 **D1** Hören Sie und ordnen Sie zu.

Text	1	2	3
Foto			

A   B   C

◀)) 26-28 **D2** Hören Sie noch einmal. Was ist richtig?
Kreuzen Sie an und ergänzen Sie.

a Johannes ist _10_ .
 ◯ 15 ⊗ 10

Johannes' Mutter heißt _____ .
◯ Hanna ◯ Luise

b _____ Sohn heißt Moritz.
 ◯ Kerstins ◯ Jans

Jans _____ heißt Kerstin.
◯ Schwester ◯ Frau

c Katrin ist Svens _____ .
 ◯ Mutter ◯ Schwester

Sven ist _____ Jahre alt.
◯ 13 ◯ 3

D3 Korrigieren Sie und schreiben Sie.

Hallo! Ich heiße anke, anke mössner.
mein mann heißt peter. meine tochter
heißt ines. sie ist neunzehn.

Hallo! Ich heiße Anke, _____

_____

_____

E1 Hören Sie und lesen Sie mit. Ordnen Sie die Fotos zu.

1 Ⓑ Ich heiße Dapo Yobo. Ich bin ledig. Ich habe keine Kinder.
2 ○ Ich heiße Mehmet Celik. Ich bin verheiratet und ich habe drei Kinder.
3 ○ Ich heiße Sandra Hansen. Ich bin verheiratet.
   Ich habe ein Kind. Mein Sohn ist neun.

 A
 B
 C

E2 Richtig oder falsch? Lesen Sie und kreuzen Sie an.

Name:	Fatima Elhariri	
Familienstand:	verheiratet	
Ehefrau / Ehemann:	Farid	
Kinder	Name:	Alter:
	Abdullah	15
	Karim	12

Familienstand
ledig
verheiratet ⚭
geschieden ◯I◯
verwitwet ⚭†

	richtig	falsch
a Fatima Elhariri ist ledig.	○	○
b Fatimas Mann heißt Farid.	○	○
c Fatima hat keine Kinder.	○	○

Ich habe / Farid hat: ein Kind. / zwei Kinder. / keine Kinder.

E3 Ergänzen Sie das Formular mit Ihren Informationen.

Name:		
Familienstand:		
Ehefrau / Ehemann:		
Kinder	Name:	Alter:

E4 Sprechen Sie.

▲ Ich heiße Fatima Elhariri. Ich bin verheiratet. Mein Mann heißt Farid.
Ich habe 2 Kinder. Abdullah ist 15 Jahre alt, Karim ist 12.

F Das kann ich

F Partnerdiktat.

A **1 Ihre Partnerin / Ihr Partner liest vor. Ergänzen Sie.**

Ich heiße Pia Maus. Ich bin _____.
Mein _____ heißt Klaus. Ich habe _____ Kind.

2 Lesen Sie den Text vor.
Ich heiße Elias Lang. Ich bin ledig. Ich habe keine Kinder.

Pia Maus

Elias Lang

B **1 Lesen Sie den Text vor.**

Ich heiße Pia Maus. Ich bin verheiratet. Mein Mann heißt Klaus.
Ich habe ein Kind.

2 Ihre Partnerin / Ihr Partner liest vor. Ergänzen Sie.

Ich heiße Elias Lang. Ich bin _____. Ich habe _____ Kinder.

Familie

mein	meine
(der) Vater	(die) Mutter
(der) Bruder	(die) Schwester
(der) Sohn	(die) Tochter
(der) Mann	(die) Frau

Fragen und Antworten zur Familie

Wer ist das?	Er / Sie heißt …
Das ist mein / meine …	Wie alt ist er / sie?
Wie heißt er / sie?	Er / Sie ist 30 Jahre alt.

Familienstand und Kinder

Ich bin … / Er ist … / Sie ist …	Ich habe … / Er hat … / Sie hat …
ledig.	ein Kind.
verheiratet.	zwei Kinder.
geschieden.	keine Kinder.
verwitwet.	

A Wo wohnen Sie?

)) 30–35 **A1** Wer wohnt wo? Hören Sie und ordnen Sie zu.

A2 Ergänzen Sie.

	Sarah	Ismail	Ali	Paul	Monika	Abida
Stadt	In Hamburg.		In ...			
Land	In Deutsch-land.		In der Schweiz.			

A3 Wo wohnen Sie? Schreiben Sie.

Ich wohne in .... , in ....

B Woher kommen Sie? – Aus Syrien.

B1 Hören Sie und lesen Sie.

A

- ■ Hallo.
- ● Guten Tag.
- ■ Wie heißen Sie?
- ● Ich heiße Hilal Al-Bairuti.
  Ich komme aus Syrien.
- ■ Und wie ist Ihre Adresse?
- ● Meine Adresse? Hm, ich weiß nicht ...
  Ich wohne in einer
  Flüchtlingsunterkunft.
- ■ Ach so. Ich weiß: Das ist die Erst-
  aufnahmeeinrichtung Adlerstraße 44.
  Wie ist Ihre Mobilnummer?
- ● 0151-30 80 90.
- ■ Entschuldigung? Noch einmal
  langsam, bitte.
- ● 0151-30 80 90.

B

- ■ Guten Tag.
- ● Guten Tag.
  Ich heiße Tania Mineva.
- ■ Woher kommen Sie?
- ● Ich komme aus Bulgarien.
- ■ Und wie ist Ihre Adresse?
- ● Lübkestraße 28,
  44141 Dortmund.
- ■ Und wie ist Ihre
  Telefonnummer, bitte?
- ● Die Vorwahl ist 0231
  und dann 798654.
- ■ Vielen Dank.

Wie ist Ihre Adresse?   Ich weiß nicht.

Woher kommen Sie?
Aus Syrien.
Aus der Türkei.

B2 Ergänzen Sie die Steckbriefe.

A

Name: ....

Land: ....

Adresse: Adlerstraße

44137 Dortmund

Telefon: ....

B

Name: Tania Mineva

Land: ....

Adresse: ....

Telefon: 0231-79

B3 Ordnen Sie zu.

a Wie heißen Sie?   In Dortmund.

b Woher kommen Sie?   0151-30 80 90.

c Wo wohnen Sie?   Hilal Al-Bairuti.

d Wie ist Ihre Adresse?   Aus Syrien.

e Wie ist Ihre Mobilnummer? Adlerstraße 44, 44137 Dortmund.

> Wo wohnen Sie?
> In Dortmund.

B4 Ergänzen Sie das Formular mit Ihren Informationen.

Name: ....

Land: ....

Adresse: ....

....

Telefon: ....

B5 Ergänzen Sie und schreiben Sie Ihre Antworten.

~~Wie~~ Wie Wie Woher Wo

a Wie   heißen Sie?   ....

b .... kommen Sie?   Aus ....

c .... wohnen Sie   ....

d .... ist Ihre Adresse?   ....

e .... ist Ihre Telefonnummer?   ....

B6 Fragen Sie Ihre Partnerin / Ihren Partner.

Wie heißen Sie?

Woher ...?

Meine Partnerin
Name: Marina Lapadatu
Land:
Adresse:
Telefon:

C Kommen Sie aus Irak? – Nein.

◀) 38 **C1** **Hören Sie und lesen Sie.**

- ■ Hallo. Ich bin Andrea Müller.
- ● Hallo. Ich heiße Ahmad Amiri.
- ■ Kommen Sie aus Irak?
- ● Nein. Aus Afghanistan.
- ■ Wohnen Sie hier in Hamburg?
- ● Ja. Und Sie?
  Wohnen Sie auch in Hamburg?
- ■ Ja.

Kommen **Sie** aus Irak?	Ja./Nein.
Wohnen **Sie** in Hamburg?	Ja./Nein.

C2 **Ergänzen Sie *Ja* oder *Nein*.**

a ▲ Kommen Sie aus Irak?
  ■ <u>Nein</u> . Aus Afghanistan.
b ▲ Wohnen Sie in Wien?
  ■ .... In Berlin.

c ● Wohnen Sie in Hamburg?
  ◆ .... Ich wohne in Hamburg.
d ● Kommen Sie aus Syrien?
  ◆ .... Aus Damaskus.

C3 **Schreiben Sie Kärtchen mit Städtenamen. Fragen Sie und antworten Sie.**

▲ Wohnen Sie in Wien?
● Nein.
▲ Wohnen Sie in Dresden?
● Nein.
▲ Wohnen Sie in Zürich?
● Nein, ich wohne in Hamburg.

◀) 39–42 **C4** **Hören Sie und sprechen Sie nach.**

a Kommen Sie aus der Türkei? ↗ Ja. ↘
b Wohnen Sie in Hamburg? ↗ Nein. ↘ In Berlin. ↘
c Woher kommen Sie? ↘ Aus der Türkei. ↘
d Wo wohnen Sie? ↘ In Berlin. ↘

D Ibrahim kommt aus Eritrea.

3

D1 **Wer kommt woher? Ergänzen Sie.**

a Ibrahim kommt *aus Eritrea* .

b Samira kommt *aus* .

c Boris kommt .

d Oltiana .

e Leila .

f Abana .

aus | Albanien
| Afghanistan
| Deutschland
| Bulgarien
| Eritrea
| Irak
| Iran
| Nigeria
| Österreich
| Pakistan
| Rumänien
| Syrien
| ...

aus der | Schweiz
| Türkei
| Ukraine
| ...

Leila

Russland Boris

Bulgarien

Albanien Syrien

Iran

Samira

Algerien

Ägypten

Oltiana

Sudan

Eritrea

Nigeria

Abana

Ibrahim

| Ibrahim/er | kommt |
| Samira/sie | |

D2 **Fragen Sie und antworten Sie.**

Kommt Samira aus Bulgarien?

Nein. Sie kommt aus Syrien.

D Ibrahim kommt aus Eritrea.

D3 Was ist richtig? Kreuzen Sie an.

 Ich heiße Ibrahim und bin 25 Jahre alt. Ich komme aus Eritrea. Aber ich wohne jetzt in Frankfurt. Mein Bruder Mohammad wohnt auch in Deutschland, in Stuttgart. Ich bin nicht verheiratet, ich bin also noch ledig.

 Hallo. Ich bin Samira und komme aus Syrien. Ich wohne jetzt in Berlin. Das ist die Hauptstadt von Deutschland. Ich bin verheiratet und habe zwei Kinder. Mein Mann heißt Kamal. Mein Sohn ist sechs, meine Tochter ist vier Jahre alt.

a Ibrahim wohnt   ○ in Eritrea.   ○ in Deutschland.
b Er ist   ○ verheiratet.   ○ ledig.
c Samira hat   ○ Kinder.   ○ keine Kinder.
d Samiras Sohn   ○ heißt Kamal.   ○ ist 6 Jahre alt.

ich	komme	wohne	habe	heiße	bin
er / sie	kommt	wohnt	hat	heißt	ist
Sie	kommen	wohnen	haben	heißen	sind

D4 Ergänzen Sie.

a S<u>ind</u> Sie Samira?   **d** Hab_____ Sie Kinder?

b Wo wohn_____ Sie?   **e** Das i_____ meine Schwester.

c Boris wohn___ in Köln.   **f** Oltiana komm___ aus Albanien.

D5 Schreiben Sie mit Ihrer Partnerin / Ihrem Partner Sätze.
Zerschneiden Sie die Sätze und mischen Sie sie. Tauschen Sie dann mit einem anderen Paar und ordnen Sie.

Wohn ┊ en ┊ Sie ┊ in ┊ Berlin ┊ ?

? in en Sie Wohn Berlin

E1   Sprechen Sie mit Ihren Namen und Ihren Informationen.

▲ Guten Tag. Ich bin …

■ Hallo. Ich heiße …

▲ Kommen Sie aus …?

■ Ja. / Nein. Ich komme aus …
Und woher kommen Sie?

▲ Ich komme aus …
Wo wohnen Sie?

■ Ich wohne in … Und Sie?
Wohnen Sie auch in …?

▲ Ja. / Nein.
Ich wohne in …

■ … Sind Sie verheiratet?

▲ Ja. / Nein. Ich bin …
Und Sie?

■ Ich bin … Haben Sie Kinder?

▲ Ja. / Nein. Ich habe …
Und Sie? Haben Sie Kinder?

■ Ja. / Nein. Ich habe …

▲ Wie ist Ihre Telefonnummer?

■ Die Vorwahl ist … und dann …
Und wie ist Ihre Telefonnummer?

▲ Meine Telefonnummer /
Mobilnummer ist …

■ Danke. Auf Wiedersehen.

▲ …

E2   Stellen Sie Ihre Partnerin / Ihren Partner vor.

*Das ist Elif. Sie kommt
aus … Sie …
Die Telefonnummer ist …*

F   Das kann ich

F   Schreiben Sie einen
Text über sich.
Mischen Sie die Zettel.
Sprechen und raten Sie.

> Wer bin ich?
> Ich komme aus Iran.
> Ich bin ledig.

> Sind Sie Ramin?

> Ja. / Nein.

> Das bin ich
> Ich komme aus ...
> Ich bin ...

Fragen und Antworten zur Person

Woher kommen Sie? ....

Aus ... .
Wo wohnen Sie? ....
In ... .
Wie ist Ihre Adresse? ....

(die) Straße ... .
Wie ist Ihre Telefonnummer? ....

Und Ihre Mobilnummer, bitte? ....

Meine Telefonnummer ist ... .

Die Vorwahl ist ... .
und dann ... .
Vielen Dank. ....

Ich weiß nicht. ....
Entschuldigung? ....
Noch einmal langsam bitte. ....

Kommen Sie aus ...? ....

Ja. / Nein. ....
Haben Sie Kinder? ....
Ja. Ich habe ... .

Nein. Ich habe ... .
Sind Sie verheiratet? ....

Kommt er / sie aus ...? ....

Ist er / sie verheiratet? ....

Formulare

(der) Name ....
(das) Land ....
(die) Hauptstadt ....
(die) Adresse ....

(das) Telefon ....
(die) Telefon-/Mobilnummer ....
(die) Vorwahl ....

Im Deutschkurs

A Wie heißt du? Wie geht es dir?

◀)) 43–45 **A1** Du oder Sie? Hören Sie und kreuzen Sie an.

○ du   ○ Sie

○ du   ○ Sie

○ du   ○ Sie

◀)) 46 **A2** Hören Sie noch einmal und lesen Sie.

- ● Woher kommst du, Nalan?
- ■ Ich komme aus der Türkei.
- ● Aha. Wohnst du auch in Weilheim?
- ■ Nein. Ich wohne in Wielenbach. Hast du Kinder?
- ● Ja. Mein Sohn heißt Alireza. Er ist 5 Jahre alt.
  Und du? Hast du Kinder?
- ■ Ja, zwei.

> du **komm**st
> du **wohn**st
> du **ha**st

A3 Ergänzen Sie.

du	Sie
a Wie heißt du?	Wie heißen Sie ?
b Woher _____?	Woher kommen Sie?
c Wo _____?	Wo wohnen Sie?
d Bist du verheiratet?	_____ verheiratet?
e _____ Kinder?	Haben Sie Kinder?
f Wie alt _____?	Wie alt sind Sie?

> du **bist**

A   Wie heißt du? Wie geht es dir?

A4   Kettenübung: Fragen Sie und antworten Sie.

■ Fatma: Wo wohnst du?
▲ In Frankfurt. Mario: Bist du verheiratet?
◆ Nein. Linh: ...?

A5   Hören Sie und lesen Sie.

● Hallo, Hassan. Wie geht es dir?
■ Hallo, Tarek. Danke, gut. Und dir?
● Auch gut. Das ist mein Bruder Nabil.
■ Hallo, Nabil. Wie geht es dir?
▲ Gut.

| du | Wie geht es dir? |
| Sie | Wie geht es Ihnen? |

A6   Ergänzen Sie.

dir du Sie Ihnen

A   *Guten Morgen, Frau Müller.*
Wie geht es .... ?

B   *Na, Lukas.*
Wie geht es .... ?

C   *Hallo, ich bin Lars von Radio*
Multi-Kulti. Wie heißt .... ?

D   *Guten Tag.*
Woher kommen .... ?

LEKTION 4   **32** zweiunddreißig

◀) 48 **B1** **Hören Sie und lesen Sie.**

■ Sprichst du Russisch, Luka?
● Nein. Meine Muttersprache ist Serbisch.
  Und was sprichst du?
■ Ich spreche Französisch und ein bisschen Deutsch.

ich **spreche**
du **sprichst**

B2 **Was sprechen Sie? Benutzen Sie ein**
Wörterbuch und schreiben Sie.

Meine Muttersprache ist ....
Ich spreche auch ....

Arabisch
Dari
Englisch
Farsi
Französisch
Kurdisch
Pashtu
Tigrinya
Türkisch
Urdu

B3 **Kettenübung: Fragen Sie und antworten Sie.**

■ Ich spreche ... Und was sprichst du?
▲ Ich spreche ... Und was ... ?
◆ Ich spreche ...

B4 **Schreiben Sie Kärtchen zu Ihrem Kurs: Länder, Sprachen, Wohnorte.**
Fragen Sie und antworten Sie.

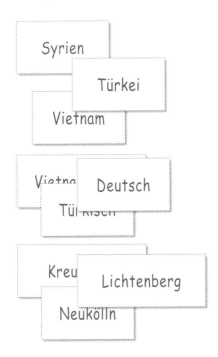

Syrien
Türkei
Vietnam
Vietna... Deutsch
Tür...isch
Kreu... Lichtenberg
Neukölln

Wer kommt aus der Türkei?

Ich!

Wer spricht Deutsch?

Wer spricht ...?

Wer wohnt in Lichtenberg?

C Im Deutschkurs

C1 **Ordnen Sie zu.**

lesen ~~Pause machen~~ spielen schreiben
sprechen zeichnen singen hören

Pause machen

C2 **Hören Sie. Fragen und antworten Sie mit den Wörtern aus C1.**

A du

◆ Was machst du im
  Deutschkurs?
● Ich spiele.

B Sie

◆ Was machen Sie im
  Deutschkurs?
● Ich spiele.

D1 Ordnen Sie zu und schreiben Sie die Sätze ins Heft.

a Simin und Nalan wohnen — schreiben und sprechen im Deutschkurs.
b Sie lernen — in Deutschland.
c Sie lesen, Kinder.
d Sie sind Deutsch.
e Sie haben verheiratet.

sie **wohnen**
haben
sind

D2 Arbeiten Sie zu zweit: Ergänzen Sie Übung A,
Ihre Partnerin / Ihr Partner ergänzt Übung B.

A

a Das is<u>t</u> mein Mann und das s........... meine Kinder.

b Sie schreib........... .

c Er lern........... Englisch.

d Ich lern........... Deutsch. Lern........... du auch Deutsch?

d Sie komm........... aus Sudan.

c Sie les........... .

b Frau Müller h........... zwei Kinder.

a Er sing........... .

B

D3 Partnerdiktat: Diktieren Sie Ihrer Partnerin /
Ihrem Partner Ihre Sätze aus D2.

E Ich habe von Montag bis Freitag Deutschkurs.

🔊 50 **E1** Hören Sie und sprechen Sie nach.

Woche 23 - Meine Termine						
Montag	Dienstag	Mittwoch	Donnerstag	Freitag	Samstag	Sonntag

🔊 50 **E2** Lang (_) oder kurz (.)? Hören Sie noch einmal und markieren Sie.

Montag – Dienstag – Mittwoch – Donnerstag – Freitag – Samstag – Sonntag

E3 Welcher Wochentag ist heute? Schreiben Sie.

Heute ist _____ .

🔊 51 **E4** Welchen Deutschkurs macht Hassan? Lesen Sie.
Hören Sie dann und kreuzen Sie an.

A ◯

Herzlich willkommen zum
Deutschkurs für Asylbewerber
Beginn: Montag, 1.4.
Zeit: Montag – Freitag,
9.00–11.30 Uhr
Information und Anmeldung:
Frau Brigitte Bauer

B ◯

Integrationskurs am Vormittag

Kurstage: Montag bis Freitag
Beginn: Montag, 03.07.
Kurszeit: 08.30 Uhr bis 12.45 Uhr
Kursort: Islamisches Forum, Bichler Str. 12

maximal 20 Teilnehmer
Anmeldung: www.mein-integrationskurs.netz

E5 Hören Sie noch einmal und ergänzen Sie.

Hallo. Ich bin Hassan. Ich bin Asylbewerber

aus Syrien. Ich lerne Deutsch. Ich habe von

Montag bis _____ Deutschkurs.

Mein Kurs beginnt um _____ Uhr

und endet um _____ Uhr _____ .

Wann?	am Montag
	von Montag
	bis Freitag
	um 9 Uhr
	von 8 Uhr 30
	bis 12 Uhr 45

E6 Verbinden Sie.

a Ich lerne   18 Uhr.

b Ich habe am   Deutsch.

c Der Kurs ist von   20 Uhr.

d Der Kurs beginnt um   18 bis 20 Uhr.

e Der Kurs endet um   Dienstag und am Freitag Deutschkurs.

E7 Fragen Sie und antworten Sie.

Mo – Fr	Mo – Do	Di – Do	Mi – Fr	Mo – Mi
09.00 Uhr –	18.00 Uhr –	13.30 Uhr –	10.00 Uhr –	19.00 Uhr –
13.15 Uhr	21.15 Uhr	17 Uhr	12.00 Uhr	20.30 Uhr

Wann ist der Deutschkurs?

Der Deutschkurs ist von Montag bis Freitag. Der Kurs beginnt um neun Uhr und endet um dreizehn Uhr fünfzehn.

E8 Schreiben Sie weitere Uhrzeiten. Ihre Partnerin / Ihr Partner liest.

13.15 - 14.45

Der Kurs beginnt um dreizehn Uhr fünfzehn.

F Das kann ich

F Machen Sie Gruppen. Jede Gruppe bekommt ein Kärtchen und schreibt ein Plakat für den Kurs. Hängen Sie die Plakate im Kursraum auf.

zeichnen

spielen

sein

haben

spielen

ich	spiele
du	spielst
er/sie	spielt
sie/Sie	spielen

Sprachen

Deutsch	Ich spreche ...
Arabisch	ein bisschen ...
Englisch	Sprichst du ...?

Im Deutschkurs

Was machst du im Deutschkurs?	Ich lerne Deutsch.
	zeichnen
lesen	sprechen
hören	schreiben
singen	Pause machen

Deutschkurs: Informationen

(der) Teilnehmer	(der) Deutschkurs
(die) Information	
(die) Anmeldung	(die) Kurszeit
(der) Kursort	(der) Beginn

Zeiten

Wann ist der Kurs?	Von 9 Uhr bis 11 Uhr.
Er beginnt um 9 Uhr.	Er endet um 11 Uhr.

Woche und Tage

Montag	(die) Woche
Dienstag	(der) Tag
Mittwoch	Heute ist Montag.
Donnerstag	Am Montag.
Freitag	Von ... bis ... .
Samstag	
Sonntag	

Aktivitäten

5

A   Herr Roth schwimmt.

A1   Ergänzen Sie.

~~fährt~~ gehen spielen telefoniert ~~besuchen~~
~~schwimmt~~ sieht kocht

a Sara ....

e Herr Roth
   schwimmt.

b Tina ....

f Ahmed .... fern.

c Cihan ....
   Fahrrad.

g Herr und Frau Müller
   besuchen Freunde.

d Robert und Sofia

   ....
   spazieren.

h Leon, Tarek und Kevin

   ....
   Fußball.

A   Herr Roth schwimmt.

◀)) 52-55 **A2**   Hören Sie und ergänzen Sie. Hören Sie dann noch einmal
und sprechen Sie nach.

a I........   besu........e meine Freunde. Meine Freunde ko........en.

b M........ne Frau geht ....nkaufen.

c Robert und Sofia telefon........ren. S........ gehen spaz........ren.

d Meine ....wester ....wimmt und ....ielt Fußball.

geht einkaufen

A3   Was passt? Kreuzen Sie an.

a Ich besuche
⊠ meine Eltern.
⊠ Freunde.
○ Fußball.

b Herr Kara spielt
○ Fußball.
○ fern.
○ im Deutschkurs.

c Hanna geht
○ spazieren.
○ Freunde.
○ einkaufen.

A4   Ergänzen Sie.

Sehen   siehst   ~~sehe~~

a Ich _sehe_ fern.

b Wann .... du fern?

c .... Sie auch fern?

du siehst fern
er/sie sieht fern

liest   lese   liest

d Karim .... im Deutschbuch.

e Was .... du?

f Ich ....

geht   gehen   Gehst

g Wer .... spazieren?

h .... du spazieren?

i Sie .... spazieren.

A5   Ohne Worte:
Was mache ich?

Du gehst spazieren.

Du spielst Fußball!

Nein, falsch.

Richtig!

◀)) 56 **B1** **Was sagen die Leute? Hören Sie und kreuzen Sie an.**

Max Meier
○ Ich mache gern Sport.
○ Ich sehe gern fern.
○ Ich spiele gern Fußball.

Susanne Adam
○ Ich zeichne gern.
○ Ich singe gern.
○ Ich koche gern.

Damian Pajak
○ Ich fahre gern Taxi.
○ Ich höre gern Musik.
○ Ich lese gern.

Elke Keller
○ Ich sehe gern fern.
○ Ich telefoniere gern.
○ Ich besuche gern Freunde.

B2 **Ergänzen Sie.**

> Ich koche gern. ☺
> Ich spiele gern Fußball.

a  Ich _koche_ gern.

b  Ich _____ gern _____.

c  Ich _____ gern _____.

d  Ich _____ gern.

B   Was machen Sie gern?

◀)) 57 **B3**   Hören Sie und variieren Sie.

■ Was machst du gern?   ● Ich höre gern Musik.

Varianten: lesen   Fußball spielen   Fahrrad fahren   schwimmen

B4   Sprechen Sie mit Ihrer Partnerin / Ihrem Partner.

■ Ich höre gern Musik.   ● Ich auch. ☺ / Ich nicht. ☹

B5   Was machen Sie nicht gern? Ergänzen Sie.

a   Ich _____ nicht gern.

Ich koche   gern ☺
nicht gern. ☹

b   Ich _____ nicht gern _____.

c   Ich _____ nicht gern _____.

d   Ich _____ nicht gern.

B6   Was machen Sie gern / nicht gern? Schreiben Sie.

☺ Ich telefoniere gern und höre auch gern Musik.

☹ Ich koche nicht gern.

B7   Mischen Sie die Zettel aus B6. Ihre Kursleiterin / Ihr Kursleiter liest vor.
Raten Sie: Wer ist das?

Ich telefoniere gern und höre auch gern Musik. Aber ich koche nicht gern.

Das ist Fatih.

Ja, stimmt.

Ja, stimmt. / Richtig.
Nein, (das ist) falsch.

C1 Majas Woche. Lesen Sie und ergänzen Sie.

Montag	Dienstag	Mittwoch	Donnerstag	Freitag	Samstag	Sonntag
18 – 19.30 Uhr Englischkurs	19 Uhr kochen mit Lena!	16 – 17.30 Uhr schwimmen	16 – 17.30 Uhr schwimmen	spazieren gehen?!	9 Uhr schwimmen 20 Uhr singen (Lutherkirche)	14 Uhr Kaffee bei Maria und John

a Heute ist Montag. Maja hat von .... bis .... Uhr .... Englischkurs.

b Morgen ist Dienstag. Maja .... am Abend mit Lena.

c Übermorgen ist Mittwoch. Maja schwimmt gern. Und sie schwimmt oft:

am .... , am .... und am ....

d Am .... geht sie manchmal spazieren.

e Es ist Wochenende: Am .... um 20.00 Uhr singt Maja immer.

f Am .... besucht sie Freunde.

Wie oft?

immer   oft   manchmal   nie

C2 Hören Sie und variieren Sie.

■ Spielst du heute Fußball?
● Nein. Ich spiele morgen Fußball.

Varianten: morgen – am Freitag

um zwei Uhr – um halb drei   am Abend – übermorgen

Wann?

heute, morgen, übermorgen

am Morgen, am Abend

C3 Was machen Sie? Schreiben Sie Sätze.

Ich habe heute Deutschkurs.   Ich gehe am Wochenende spazieren.
Ich besuche morgen Freunde.   Ich sehe am Abend nie fern.
Ich spiele am Freitag immer Fußball.

D Das Wetter ist gut.

◀》 59 **D1** **Wie ist das Wetter?**
Hören Sie und ergänzen Sie.

Die Sonne scheint. Es ....

Es ist .... Es ist ....

Das Wetter ist Das Wetter ist

.... Super! ....

Das Wetter ist	gut. 👍
	schlecht. 👎
Es ist	warm. 🌡
	kalt. 🌡

Es regnet. 🌧

Die Sonne scheint. ☀

D2 **Wie ist das Wetter heute, morgen, übermorgen,**
am Wochenende? Zeichnen Sie fünf Kärtchen.
Fragen Sie und antworten Sie.

Wie ist das Wetter morgen?

Die Sonne scheint.
Wie ist das Wetter ...?

D3 **Was passt? Ordnen Sie zu.**

~~Ich telefoniere mit Freunden.~~ Ich fahre Fahrrad. Ich spiele Fußball.

Ich sehe fern. Ich lese. Ich gehe spazieren.

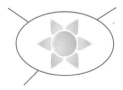

Ich telefoniere mit Freunden.

D4 Fragen Sie und antworten Sie.

▲ Das Wetter ist gut.
Was machst du?

● Ich gehe spazieren.
Und was machst du?

> Das Wetter ist gut / schlecht.
> Die Sonne scheint. / Es regnet.
> Was machen Sie? /
> Was machst du?

🔊 60 **D5** Hören Sie und sprechen Sie nach.

Januar   Februar   März   April   Mai   Juni   Juli   August
September   Oktober   November   Dezember

D6 Das Wetter. Welche Monate aus D5 passen
zu welchem Bild? Ergänzen Sie.

A	B	C	D
März	J	S	D
A	J	O	J
M	A	N	F

D7 Wie ist das Wetter in Ihrem Heimatland?
Kreuzen Sie an. Fragen Sie und antworten Sie.

Wann?
im Januar, Februar …

Wie ist das Wetter im …	a Januar?	b April?	c Juli?	d Oktober?
Es ist sehr warm.	○	○	○	○
Die Sonne scheint oft.	○	○	○	○
Es regnet oft.	○	○	○	○
Es ist sehr kalt.	○	○	○	○

Wie ist das Wetter in Syrien im April?

Die Sonne scheint oft.

E   Das kann ich

E   Spiel: Kursstatistik

Schreiben Sie zwei Sätze über sich auf.
Einer im Kurs liest einen Satz vor.
Wer macht das auch? Der steht auf.

Ich fahre im August
immer Fahrrad.

Ich besuche am Wochenende
oft Freunde.

Aktivitäten

Fahrrad fahren	Musik hören
fernsehen	schwimmen
Freunde besuchen	spazieren gehen
Fußball spielen	Ich lese gern.
kochen	Ich lese nicht gern.

Zustimmung und Ablehnung

Ich auch.	Ja, stimmt. / Richtig.
Ich nicht.	Nein, (das ist) falsch.

Zeiten: Wann?

heute	um zwei (Uhr)
morgen	im Januar
am Morgen / am Abend	

Monate

Januar / Februar	September
März / April	Oktober
Mai / Juni	November
Juli / August	Dezember

Zeiten: Wie oft?

immer / oft	manchmal / nie

Wetter

(das) Wetter	Es regnet.
gut	Die Sonne scheint.
schlecht	Es ist warm / kalt.

Essen und Trinken 6

A Lebensmittel

A1 Lesen Sie und ordnen Sie zu.

Wurst   Brot   Wasser   Kaffee   Tee   Butter   Käse   Schokolade
Kuchen   Obst   Fleisch   ~~Gemüse~~   Milch   Saft   Reis

a Gemüse

b ....

c ....

d ....

e ....

f ....

g ....

h ....

i ....

j ....

k ....

l ....

m ....

n ....

o ....

A   Lebensmittel

A2   Ordnen Sie die Wörter aus A1 zu.

Essen

Trinken

Saft
....

....

....

....

A3   Wie heißen die Wörter richtig? Ergänzen Sie.

a SCHOKLADEO *Schokolade*   e BORT   ....

b BUERTT   ....   f KUENCH   ....

c FLSCHEI   ....   g WRSTU   ....

d GESEMÜ   ....   h MICHL   ....

◀) 61 **A4**   Hören Sie und sprechen Sie nach.

Hmm, Schokolade!

Uuh, Milch!

B1   Was meinen Sie? Wer sagt was? Lesen Sie und ordnen Sie zu.

A
Sadia

B
Jürgen

C
Christian

D
Linda

Ⓑ *Ich esse gern Wurst und Fleisch und ich trinke gern Kaffee.*

○ *Ich esse gern Obst und Gemüse. Ich trinke gern Mineralwasser. Saft trinke ich nicht so gern.*

○ *Ich esse gern Reis und ich trinke gern Tee. Aber ich esse kein Schweinefleisch und trinke keinen Alkohol.*

○ *Ich esse gern Schokolade. Gemüse esse ich nicht gern. Und ich trinke gern Milch.*

Ich esse kein Schweinefleisch.

Ich trinke keinen Alkohol.

🔊 62–65   B2   Hören Sie und vergleichen Sie mit B1.

B3   Was essen und trinken Sie gern / nicht gern? Ergänzen Sie.

Ich esse gern ....

Ich esse nicht gern ....

Ich trinke gern ....

Ich trinke nicht gern ....

B   Ich esse gern Obst.

B4   Kettenübung: Fragen Sie und antworten Sie.

■ Ich esse gern Kuchen.
Was essen Sie gern?

▲ Ich esse gern …
Was trinken Sie gern?

◆ Ich trinke gern …
Was essen Sie nicht gern?

● …

B5   Sprechen Sie mit Ihrer Partnerin / Ihrem Partner.

■ Was isst du gern?
● Ich esse gern
Obst und Gemüse.
■ Ich auch. / Ich nicht.

| ich esse |
| du isst |
| er / sie isst |
| sie / Sie essen |

◀)) 66–69   **B6**   Diktat: Hören Sie und ergänzen Sie.

a Peter __i__ sst g __rn Sch __k __l __d __nd K __ch __n.

b G __m __s __ __sst __r n __cht g __rn.

c __b __r __k __cht __ft R __s m __t
Fl __sch __nd G __m __s __.

d __r tr __nkt v __l T __. __r tr __nkt
k __n __ __lk __h __l.

B7   Kurs-Hitliste: Wer isst gern …? Wer isst nicht gern …?

C1 Was meinen Sie: Wer sagt was? Ordnen Sie zu.

○ Ich esse gern Reis.

○ Ich esse gern Süßes.

◀)) 70–71 **C2** Hören Sie und vergleichen Sie mit C1.

◀)) 70–71 **C3** Richtig oder falsch? Hören Sie noch einmal und kreuzen Sie an.

Gespräch 1	richtig	falsch
a Sophas Mann kommt aus Deutschland.	⊠	○
b Er kocht oft Fleisch.	○	○
c Sopha isst am Morgen Reis.	○	○
d Sopha isst gern Wurst.	○	○

Gespräch 2	richtig	falsch
e Emre kocht gern.	○	○
f Baklava ist süß.	○	○
g Emre trinkt gern Tee.	○	○
h Türkischer Tee ist mit viel Zucker.	○	○

Baklava

Zucker

◀)) 70–71 **C4** Was verstehen Sie noch? Hören Sie noch einmal und notieren Sie.
Sammeln Sie im Kurs.

Sophas Mann isst sehr gern Fleisch.
Emre ist verheiratet.

D Ich koche einmal am Tag.

D1 Ordnen Sie zu.

a Kochst du gern?
b Wer kocht bei dir zu Hause?
c Wann kochst du?
d Wie oft isst du?
e Was isst du oft?

Meine Mutter.
Ich esse um sieben, um zwölf und
um fünf – also dreimal am Tag.
Nein. Ich koche nicht gern. Aber
ich esse gern.
Ich esse oft Fleisch.
Ich koche nur am Mittag.

Wie oft?
einmal/zweimal/dreimal/... am Tag

D2 Schreiben Sie.

a Was – am Abend – isst – du – ?
Was isst du am Abend?

b kocht – gut – Mein Mann – .

c du – kochst – Was – oft – ?

d Meine Frau – immer – Reis – kocht – .

e esse – Ich – am Morgen – am Abend – und – .

**D3 Schreiben Sie drei Fragen zum Thema Essen an Ihre Partnerin /
Ihren Partner. Die Fragen aus D1 helfen Ihnen.**

1 .... ?
  ....

2 .... ?
  ....

3 .... ?
  ....

D4 Fragen Sie und antworten Sie. Notieren Sie die Antworten bei D3.

Elena, wer kocht bei dir zu Hause?

Ich. Ich koche sehr gern.

E   Obstsalat

E1   Was ist das? Lesen Sie und kreuzen Sie an.

○ Eine Übung.
○ Ein Rezept.
○ Eine Telefonliste.

Obstsalat

Sie brauchen:
1 Apfel
½ Ananas
1 Orange
1–2 Kiwi
1 Nektarine
1 Banane
Zucker
Zitronensaft

So geht es:
Obst waschen oder schälen.
Das Obst in kleine Stücke schneiden.
Ein bisschen Zitronensaft über
das Obst geben.
Mit Zucker süßen.

Tipp: Nehmen Sie Obst nach Saison.

E2   Welche Wörter in E1 kennen Sie? Lesen Sie und markieren Sie.

E3   Was ist richtig? Kreuzen Sie an.

a Für Obstsalat brauchen Sie
  Obst und Gemüse.   ○
b Trinken Sie Zitronensaft.   ○
c Waschen Sie das Obst zweimal.   ○
d Sie brauchen auch Zucker.   ○
e Schneiden Sie das Obst in Stücke.   ○

E4   Bringen Sie Ihr Lieblingsobst mit in den Kurs.
     Machen Sie zusammen Obstsalat.

F   Ich über mich: Schreiben Sie.

Ich esse sehr gern Obst. Zum Beispiel Ananas oder Kiwi.
Ich esse am Morgen immer Obst.
Mein Mann kocht. Er kocht sehr gut.
Er kocht oft Reis und Fleisch. Ich esse gern Fleisch.
Ich esse nicht gern Wurst.

Essen und Trinken

(die) Ananas	(das) Obst
(die) Banane	(der) Obstsalat
(das) Brot	(die) Orange
(die) Butter	(der) Reis
(das) Fleisch	(der) Saft
(das) Gemüse	(die) Schokolade
(der) Kaffee	(der) Tee
(der) Käse	(das) Wasser
(die) Kiwi	(die) Wurst
(der) Kuchen	(der) Zitronensaft
(die) Milch	(der) Zucker
(die) Nektarine	

Gern / nicht gern

Ich esse gern	Ich trinke gern

Zeiten: Wie oft?

einmal / zweimal	dreimal am Tag

Weitere wichtige Wörter

brauchen	waschen
nehmen	schälen

Einkaufen

A   Ich brauche Reis.

◀)) 72   **A1**   Was ist richtig? Hören Sie und kreuzen Sie an.

a Frau und Herr Hauk sind zu Hause.   ◯
b Frau und Herr Hauk sind im Supermarkt.   ◯
c Sie schreiben eine Einkaufsliste.   ◯
d Sie essen Schokolade.   ◯

◀)) 72   **A2**   Welche Einkaufsliste passt? Lesen Sie und
hören Sie noch einmal. Kreuzen Sie dann an.

◯ Wasser	Obst		◯ Wasser	Gemüse
Kaffee	Butter		Kaffee	Butter
Tee	Käse		Tee	Käse
Milch	Fleisch		Saft	Fleisch
Brot	Wurst		Brot	Schokolade
Kuchen			Kuchen	

A3   Was brauchen Sie heute? Schreiben Sie eine Einkaufsliste.

A4   Kursspaziergang: Fragen Sie und antworten Sie.

◆ Was brauchst du?
  ● Ich brauche ... Und du? Was brauchst du?
    ■ Ich brauche ...

B Orientierung im Supermarkt

B1 Was passt? Ordnen Sie zu.

~~Tiefkühlkost~~ Milchprodukte Kasse Getränke Süßigkeiten
Obst und Gemüse Fleisch und Wurst Backwaren

1 .... 5 ....

2 .... 6 Tiefkühlkost

3 .... 7 ....

4 .... 8 ....

B2 Wo finden Sie ...? Ordnen Sie zu.

a Pizza   Milchprodukte
b Saft   Obst und Gemüse
c Brot   Tiefkühlkost
d Ananas   Süßigkeiten
e Butter   Backwaren
f Schokolade   Getränke

B3 Sammeln Sie weitere Produkte im Kurs.

Milchprodukte:
Milch, Butter, Joghurt

◀)) 73   **C1**   **Was ist im Einkaufswagen? Hören Sie und ergänzen Sie.**

■ So, was haben wir?

▲ Da ist _der_ Kaffee, da .... Tee, _die_ Milch – und _das_ Mineralwasser.

■ Und da sind .... Butter, ... Wurst und .... Käse und .... Brot,

.... Kuchen ... und .... Schokolade.

▲ Reis! Wo ist .... Reis? Ach, da ist er ja.

■ Und .... Obst? Ja, alles da!

▲ .... Fleisch! .... Fleisch fehlt ja noch!

■ Ach genau, stimmt, also los ...

• der Kaffee
• das Wasser
• die Milch

C2   **Ordnen Sie die Wörter aus C1 zu.**

• der	• das	• die
Kaffee		

C3   **Arbeiten Sie mit dem Wörterbuch und ergänzen Sie.**

a _der_ Saft

c .... Pizza

b .... Ananas

d .... Gemüse

Saft, der; -[e]s, Säfte

C4   Spiel: Verteilen Sie Reis, Brot, Tee ...
im Kursraum. Arbeiten Sie zu zweit.
Fragen Sie und zeigen Sie.

Wo ist der Reis?

Da!

C   Da ist der Kaffee.

◀)) 74   C5   Im Supermarkt: Hören Sie und sprechen Sie nach.

- ● Entschuldigung! ↘
  Wo ist der Kaffee, bitte? ↘
- ▲ Da vorne. ↘
- ● Danke. ↘
- ▲ Bitte. ↘

C6   Ordnen Sie das Gespräch und schreiben Sie.
Lesen Sie dann mit Ihrer Partnerin / Ihrem Partner.

○ Die Butter? Tut mir leid.
  Das weiß ich nicht.   ....

  ....

○ Entschuldigung, bitte.
  Wo ist die Butter?   ....

  ....

○ Danke.   ....

C7   Ergänzen Sie.   Danke   bitte   Entschuldigung   Tut mir leid

a ▲ Hier: das Brot, Frau Jensen.

   ■ ....

b ● Haben Sie auch Bananen?

   ▲ Nein. ....

c ◆ .... !
     Ich suche die Milch.

   ▲ Die Milch ist da vorne.

d ▼ Wo ist der Zucker, ... ?

   ▲ Da hinten.

C8   Rollenspiel: Schreiben und spielen Sie ein Gespräch im Supermarkt.

● Entschuldigung,
  wo ist das Fleisch?
▼ ...

| Fleisch | Tee | Wasser |

D   Was kostet die Schokolade?

◀)) 75 **D1**   Was kostet ...? Hören Sie und ergänzen Sie.

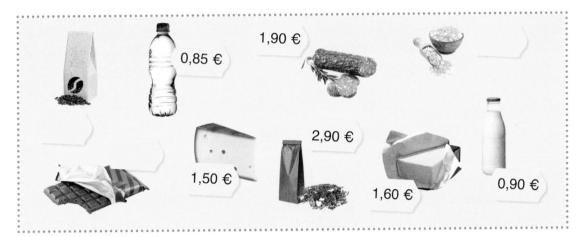

Was kostet der Kaffee?   .... Euro ....

Was kostet die Schokolade?   .... Cent.

Was kostet der Reis?   .... Euro ....

	Man schreibt:	Man sagt:
	3,90 €	drei Euro neunzig.
Das kostet	0,70 €	siebzig Cent.
	1,80 €	einen Euro achtzig

D2   Lesen Sie die Angebote in D1. Fragen Sie und antworten Sie.

■ Was kostet die Butter?
▲ 1 Euro 60. Was kostet ...?

D3   Ihr Supermarkt: Schreiben Sie Preise.
Ihre Partnerin / Ihr Partner liest.

E Sonst noch etwas?

E1   Wer sagt das? Lesen Sie und kreuzen Sie an.

	Verkäuferin	Kunde
a Guten Tag. Bitte sehr?	○	○
b Guten Tag. 200 Gramm Edamer-Käse, bitte.	○	○
c Ja, gern. Sonst noch etwas?	○	○
d Was kostet der Schafskäse?	○	○
e 100 g kosten 1,99 Euro.	○	○
f Okay. Dann 100 Gramm, bitte.	○	○
g Nein danke. Das ist alles.	○	○
h Vielen Dank. Hier bitte: der Käse.	○	○

> 200 Gramm = zweihundert Gramm
> 1 Kilo = ein Kilo

E2   Ergänzen Sie das Gespräch.

■ Guten Tag. B_____ sehr?

▲ Hallo. Ein K_____ Hackfleisch, bitte.

■ Ja, gern. Rindfleisch oder Schweinefleisch?

▲ Rindfleisch, _____.

■ Sonst noch etwas?

▲ Nein, d_____. Das ist a_____.

■ Vielen D_____. Hier bitte: das F_____.

Hackfleisch

◀)) 76   **E3**   Hören Sie und vergleichen Sie.

E4 Sie brauchen Brötchen und Kuchen. Ergänzen Sie und spielen Sie das Gespräch.

> **Beim Bäcker**
> Kaufen Sie 3 Brötchen.
> 1 Brötchen kostet 0,70 Euro.
> Kaufen Sie Apfelkuchen.
> Zwei Stück Apfelkuchen kosten 4,20 Euro.

● Guten Tag. Bitte sehr?

■ Guten Tag.
Was kostet ein _____?

● 1 Brötchen kostet

_____.

■ _____ bitte.

● Sehr gern.
Sonst noch etwas?

■ Ja. Ich brauche noch

_____.

● Wie viel?

■ Hm, was kostet ein Stück?

● _____.

■ Okay, dann ____ Stück. Das ist alles.

● Gut. Das macht 6,30 Euro.

E5 Rollenspiel: Wählen Sie eine Situation. Schreiben Sie und spielen Sie das Gespräch.

> **Beim Bäcker**
> Kaufen Sie 5 Brötchen und 3 Stück Schokoladenkuchen.

> **An der Fleischtheke**
> Kaufen Sie 1 Kilo Rindfleisch.

> **Im Supermarkt**
> Sie brauchen Zucker.
> Fragen Sie: Wo?

F   Das kann ich

F   Projekt: Einkaufen gehen

Teil 1:   Im Kurs
Wer kauft was?
Üben Sie.

Entschuldigung, haben Sie ...?

Ich brauche ...   *Wo ist ...?*

Teil 2:   Im Supermarkt
Fragen Sie eine Verkäuferin / einen Verkäufer.
Gehen Sie zur Käse- oder Fleischtheke.
Notieren Sie Preise.

Teil 3:   Im Kurs
Präsentieren Sie Ihre Produkte.
Essen und trinken Sie zusammen.

Um Hilfe bitten

Entschuldigung.	Danke.
Ich brauche ...	Bitte.
Wo ist ...?	Das weiß ich nicht.
Da vorne.	Tut mir leid.
Da hinten.	

Preise

Was kostet ...?	das Kilo
Zwei Euro neunzig.	das Gramm
Fünfzig Cent.	das Stück

Einkaufen

Bitte sehr?	Sonst noch etwas?
Haben Sie ...?	Das ist alles.

Weitere wichtige Wörter

die Kasse	das Rindfleisch
die Pizza	das Schweinefleisch
der/das Joghurt	das Hackfleisch

In der Stadt

A   Orte

A1   Was sehen Sie auf dem Bild? Ordnen Sie zu.

- ○ die Post
- ○ die Schule
- ○ die Apotheke
- ○ die Bank
- ○ der Bahnhof
- ○ der Kindergarten
- ○ das Café
- ○ der Parkplatz
- ○ das Krankenhaus

A2   Was passt? Verbinden Sie.

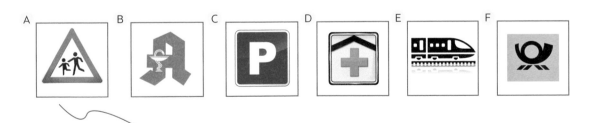

der Park-
platz   der Kinder-
              garten   die Apotheke   der Bahnhof   die Post   das Kranken-
                                                                                        haus

A Orte

A3 Was sehen Sie auf dem Bild in A1? Sprechen Sie.

Auf dem Bild ist eine Bank.

• der	Bahnhof	→	• ein	Bahnhof
• das	Café	→	• ein	Café
• die	Bank	→	• eine	Bank

A4 *ein* oder *eine*? Ergänzen Sie.

a Ist hier _eine_ Post? – Ja, die Post ist dort! Sehen Sie?

b Ist hier auch .... Krankenhaus? – Ja, dort. Sehen Sie?

c Entschuldigung! Wo ist hier .... Apotheke? – Da vorne.

d Ich brauche Geld. Wo ist hier .... Bank? – Dort!

e Da ist .... Parkplatz! – Der Parkplatz ist aber nur für Busse, nicht für Autos.

f Da vorne ist .... Supermarkt. Wir brauchen Tee und Käse.

der Supermarkt → ein Supermarkt

A5 Welche Orte kennen Sie noch? Sammeln Sie im Kurs.

der Bahnhof

Orte in der Stadt

der Kindergarten

A6 Zeichnen Sie oder kleben Sie Fotos auf Kärtchen. Fragen Sie und antworten Sie.

● Was ist das?

◆ Das ist eine Post.

B Ist hier eine Bank in der Nähe?

◁) 77 **B1** Was sucht der Mann? Hören Sie und kreuzen Sie an.

○ Eine Post.   ○ Eine Bank.

◁) 77 **B2** Hören Sie noch einmal und variieren Sie.

■ Entschuldigung?
● Ja, bitte?
■ Ist hier eine Bank in der Nähe?
● Ja. Da vorne. Einfach geradeaus.
■ Danke.

Varianten: • eine Post   • ein Supermarkt

• eine Apotheke   • ein Krankenhaus

B3 Was sucht die Frau? Zeichnen Sie den Weg in die Karte und finden Sie die Lösung.

● Entschuldigung, eine Frage: Wo ist bitte der ＿＿＿＿＿＿＿＿＿ ?
◆ Gehen Sie zuerst links und dann immer geradeaus,
die Blumenstraße entlang.
Gehen Sie dann rechts.
Das ist die Bahnhofstraße.
Gehen Sie wieder geradeaus und dann links.
Dort ist der ＿＿＿＿＿＿＿＿＿ .

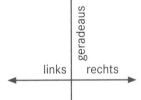

Sie sind hier.

B Ist hier eine Bank in der Nähe?

B4 Welche Antwort passt? Kreuzen Sie an.

a Wo ist der Bahnhof?
- ☒ Tut mir leid, das weiß ich nicht.
- ○ Der Bahnhof ist groß.

b Wo ist hier ein Supermarkt?
- ○ Ja.
- ○ Da vorne.

c Ist hier irgendwo eine Apotheke?
- ○ Ja, die Kanz-Apotheke ist ganz in der Nähe.
- ○ Entschuldigung!

d Entschuldigung, eine Frage …
- ○ Nein, danke.
- ○ Ja, bitte?

B5 Sehen Sie noch einmal den Stadtplan in B3 an.
Fragen Sie und antworten Sie.

Nach Orten fragen	Wege erklären
Entschuldigung, wo ist …?	Gehen Sie zuerst … und dann …
	Gehen Sie geradeaus/rechts/links.
	Gehen Sie die …straße entlang.
Ist hier … in der Nähe?	Ja, … ist ganz in der Nähe.
	Da vorne/hinten.
Ist hier irgendwo …?	Tut mir leid, das weiß ich nicht.

◀)) 78 **B6** Hören Sie und lesen Sie. Singen Sie dann mit.

Wo ist hier ein Supermarkt?   Da vorne, da vorne!

Ist hier auch ein Krankenhaus?   Ja, sicher! Ja, sicher!

Und wo ist die Wilhelmstraße?   Geradeaus, geradeaus.

C Das ist kein Supermarkt.

C1 Was passt? Lesen Sie und ordnen Sie die Fotos zu.

A

B

1 ○ ◆ Ist das eine Apotheke?
    ■ Nein, das ist keine Apotheke. Das ist eine Drogerie.
      Hier bekommen Sie Zahnpasta, Shampoo ...

2 ○ ● Ist das ein Supermarkt?
    ▲ Nein. Das ist kein Supermarkt. Das ist
      ein Obst- und Gemüseladen.

die Zahnpasta

das Shampoo

● ein Supermarkt	→	● kein Supermarkt
● ein Café	→	● kein Café
● eine Apotheke	→	● keine Apotheke

C2 Ordnen Sie zu.

~~ein~~ ein eine kein keine

a ● Entschuldigung, ist hier _ein_ Café in der Nähe?
   ▲ Nein, hier ist _____ Café. Aber das Restaurant
     Hamburger ist ganz in der Nähe.
   ● Aha, und wo ist das?
   ▲ Da vorne. Gehen Sie einfach die Steinstraße entlang.

b ■ Ich brauche Brot. Ist hier irgendwo _____ Bäckerei?
   ◆ Nein, leider nicht. Hier ist _____ Bäckerei.
     Aber da vorne ist _____ Supermarkt.

C3 Fragen Sie und antworten Sie.

A
Schule?

B
Post?

C
Apotheke?

D
Café?

◆ Ist das eine Schule? ■ Nein, das ist keine Schule. Das ist ....

D Ich fahre mit der U-Bahn.

◀) 79 **D1** Welche Verkehrsmittel hören Sie? Kreuzen Sie an.

⊗ der Zug ○ das Auto ○ die U-Bahn ○ die S-Bahn

○ der Bus ○ das Fahrrad ○ die Straßenbahn

mit dem	Auto
	Fahrrad
	Zug
	Bus
mit der	U-Bahn
	S-Bahn
	Straßen-
	bahn

Ich gehe zu Fuß.

◀) 80 **D2** Hören Sie und lesen Sie.

▲ Wie kommst du zum Deutschkurs?
● Ich fahre mit der U-Bahn. Und du?
▲ Ich fahre mit dem Bus.

D3 Kursspaziergang: Fragen Sie und antworten Sie.

▲ Wie kommst du zum Deutschkurs?
● Ich gehe zu Fuß. Und du?
▲ ...

D4 Mit welchem Verkehrsmittel können Sie hier fahren? Schreiben Sie.

a Mit der <u>U-Bahn</u> .   c Mit der ....

b Mit dem ....   d Mit dem ....

D5 Was ist richtig? Kreuzen Sie an.

A

○ Sie dürfen gehen.
○ Sie dürfen nicht gehen.

B

○ Sie dürfen hier gehen.
○ Sie dürfen hier nicht gehen.

C

○ Sie dürfen hier Fahrrad fahren und zu Fuß gehen.
○ Sie dürfen hier nicht Fahrrad fahren und nicht zu Fuß gehen.

D

○ Sie dürfen in die Straße fahren.
○ Sie dürfen nicht in die Straße fahren.

E

○ Sie dürfen hier zu Fuß gehen.
○ Sie dürfen hier nur mit dem Auto fahren.

F
○ Sie dürfen hier Fahrrad fahren.
○ Sie dürfen hier nicht Auto oder Fahrrad fahren.

✔ Ja   du darfst / Sie dürfen
✘ Nein   du darfst nicht / Sie dürfen nicht

D6 Zeigen Sie auf ein Schild in D5. Ihre Partnerin / Ihr Partner erklärt.

Sie dürfen in die Straße fahren.

E   Das kann ich

E   Was ist in Ihrer Stadt? Ein Kiosk, eine Post, ein Café? Zeichnen Sie einen Stadtplan. Sprechen Sie.

- ■ Ist hier irgendwo ein Kiosk?
- ● Nein, tut mir leid. Hier ist kein Kiosk.
- ■ Wo ist der Kindergarten?
- ● Gehen Sie geradeaus. Dann links und dann rechts. Dann geradeaus.

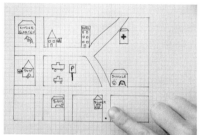

Orte in der Stadt

die Apotheke	der Kiosk
der Bahnhof	das Krankenhaus
die Bank	der Laden
das Café	der Parkplatz
die Drogerie	die Post
der Kindergarten	die Schule

Nach Orten fragen und Wege erklären

Entschuldigung, eine Frage.	... ist ganz in der Nähe.
	Gehen Sie links / rechts / gerade-aus.
Ist hier ... in der Nähe	zuerst
	dann
Ist hier irgendwo ...?	wieder
	Gehen Sie die ...straße entlang.
Wo ist (bitte) ...?	

Verkehrsmittel

das Auto	die U-Bahn
der Bus	der Zug
das Fahrrad	Ich fahre mit dem Auto / mit der
die S-Bahn	U-Bahn.
die Straßenbahn	Ich gehe zu Fuß.

Erlaubnis und Verbot

Sie dürfen ...	Sie dürfen nicht ...

A Maler – Malerin

◀)) 81 **A1** Was sind die Leute von Beruf? Hören Sie und ordnen Sie zu.

a Altenpflegerin	○	**e** Hausfrau	①	**i** Reinigungskraft	○
b Arbeiter	○	**f** Kellner	○	**j** Schneiderin	○
c Arzt	○	**g** Koch	○	**k** Taxifahrer	○
d Friseurin	○	**h** Maler	○	**l** Verkäuferin	○

◀)) 82 **A2** Hören Sie und sprechen Sie nach: erst laut, dann leise.

A3 Wie heißen die Wörter richtig? Schreiben Sie.

a käufVeriner *Verkäuferin*   **d** Hasfrauu ....

b Artz ....   **e** hKoc ....

c Abeirter ....   **f** riseurFin ....

A   Maler – Malerin

A4   Wie heißen die Berufe? Schreiben Sie.

~~Al~~ Ar bei fah gungs ~~ge~~ Kell kraft ler Ma
ner ni ~~pfle~~ Rei rer ~~rin~~ Ta ~~ten~~ ter xi

Altenpflegerin

....

....

....

A5   Ergänzen Sie.

Altenpfleger	Altenpflegerin
Arbeiter	....
....	Friseurin
Kellner	....
Maler	....
....	Schneiderin
Taxifahrer	....
	Verkäuferin

Arbeiter	Arbeiterin
auch so: Altenpfleger, Maler …	
⚠	
Arzt	Ärztin
Koch	Köchin
Hausmann	Hausfrau
Reinigungskraft	Reinigungskraft

A6   Ohne Worte: Wie heißt der Beruf?

Maler?

Nein, leider nicht richtig.

Arbeiter?

Richtig.

B1 Hören Sie und ergänzen Sie.

Ich bin _____.
Ich arbeite von Dienstag
bis Samstag. Am Montag
habe ich frei.

Barbara Schmitz

Ich mache eine Ausbildung.
Ich möchte _____
werden. Die Arbeit
ist super.

Efrem Berhane

Ich bin _____.
Aber im Moment
arbeite ich als
_____.

Vedran Petri

Ich habe eine Ausbildung
als _____.
Aber im Moment arbeite
ich nicht. Ich bin
_____.

Gamze Büyük

Ich gehe noch
zur Schule. Später
möchte ich studieren.
Ich möchte _____
werden.

Zahra Kamiab

B2 **Was sind Sie von Beruf? Welche Ausbildung machen oder haben Sie? Schreiben Sie.**

Ich bin Friseur.
Ich möchte Koch werden.

Ich mache / habe eine Ausbildung als ...
Ich bin ... von Beruf.
Ich möchte ... werden.

B3 **Kursspaziergang: Fragen Sie und antworten Sie.**

▲ Was sind Sie von Beruf?
● Ich bin Köchin. Und Sie?
▲ Ich möchte Fliesenleger werden.

[Was sind Sie / bist du von Beruf?]

B4 **Im Kurs: Schreiben Sie Sätze.**

Sibel ist Köchin.
Svetlana ist auch Köchin.
Ibrahim möchte Lehrer werden.

C Die Hose ist schön.

C1 **Was ist Frau Baumann von Beruf? Schreiben Sie.**

Frau Baumann ist .... von Beruf.

C2 **Was ist auf dem Bild in C1? Zeigen Sie und kreuzen Sie an.**

- ○ die Hose
- ○ die Bluse
- ○ die Jacke
- ○ das Kleid
- ○ der Rock
- ○ das Hemd
- ○ der Pullover
- ○ das T-Shirt

C3 **Sehen Sie Prospekte an. Zeigen Sie und sprechen Sie mit Ihrer Partnerin / Ihrem Partner.**

▲ Die Hose ist schön.
● Nein, die Hose ist nicht so schön.
Aber die Jacke ist schön.

👍 schön

👎 nicht so schön / hässlich

◀)) 84 C4 Was ist richtig? Hören Sie und kreuzen Sie an.

a Der Mann braucht:
○ Hemd
○ Jacke
○ Pullover

b Er kauft:
○ Hemd für 23,90 Euro
○ Pullover für 18,99 Euro
○ Pullover für 39,00 Euro

◀)) 84 C5 Hören Sie noch einmal und ergänzen Sie.

■ Entschuldigung! Was kostet der _____ hier?

▲ _____ Euro.

■ Das ist aber teuer.

teuer ↔ günstig

▲ Sehen Sie mal: Hier ist ein _____ für _____ Euro.

■ Ach nein. Der _____ ist nicht so schön.

▲ Und wie ist der hier?

■ Schön! Was kostet er?

▲ Er ist sehr günstig: _____ Euro.

■ Okay.

C6 Lesen Sie mit Ihrer Partnerin / Ihrem Partner und variieren Sie dann.

■ Was kostet das Hemd?
● 28,90 Euro.
■ Das ist aber teuer.
  Was kostet das Hemd dort?
● 19,30 Euro.
■ Okay. Das ist günstig.

28,90

19,30

Varianten: • der Rock 25,50 € – 19,99 €   • die Bluse 29,99 € – 16,49 €
• das T-Shirt 24,49 € – 16,99 €

D Termine

D1 Lesen Sie und kreuzen Sie an.

A

KLEIDERBASAR IM KINDERGARTEN

• •

Kaufen und verkaufen Sie Kinder-kleidung. T-Shirt, Kleid oder Hose – hier finden Sie alles für Ihr Kind.
Termin: Sa, 01.04., 10–14 Uhr

B

Café Central
Wir suchen zum 15.03. eine/n Kellner/-in
Mehr Informationen bei Frau Jahn,
Telefon: 78 65 91

C

Werden Sie Altenpfleger/-in!
Die Altenpflegeschule Bad Neustadt hat noch Plätze frei.
Ausbildungsbeginn:
Di, 07.09.

www.altenpflegeschule-neustadt.de

A Der Kleiderbasar ist
- ○ am ersten April.
- ○ am ersten Mai.

B Der Arbeitsbeginn ist
- ○ am dritten Mai.
- ○ am fünfzehnten März.

C Die Ausbildung beginnt
- ○ am neunten Juli.
- ○ am siebten September.

Wann?			
1.–19.	-ten:	am ersten, zweiten, dritten, vierten, …, siebten, …	April
20.–31.	-sten:	am zwanzigsten, einundzwanzigsten, …	April

◀)) 85–89 ## D2 Hören Sie: Welche Termine sind richtig? Kreuzen Sie an.

○ A
Ihr Termin:
20.08., 10.30 Uhr

○ B
nächster Termin: 05.06., 12.15 Uhr

○ C
Termin Jobcenter:
30.03., 9.00 Uhr

○ D
Anmeldung:
25.10., 8-13 Uhr

○ E
Café Central:
17. August, 18 Uhr

◀)) 90 ## D3 Hören Sie und variieren Sie.

Varianten:

● Wann hast du den Termin beim Jobcenter?
▲ Am 7. August.

19. November   12. März
28. September   01. Juni

E1 Lesen Sie die Fragen und markieren Sie
die Antworten in den Texten. Sprechen Sie dann.

a Wann arbeiten Reza und Monika?

b Wann hat Leon Schule?

c Wann beginnt Leons Ausbildung?

> *Reza arbeitet tagsüber.*

Das ist Reza Fatehi, er ist 50 Jahre alt. Er kommt aus Iran.
Reza ist Koch und arbeitet im Restaurant „Fischerwirt".
Als Koch arbeitet er tagsüber und am Abend. Er arbeitet
manchmal auch am Wochenende.

Rezas Frau heißt Monika, sie ist 42 Jahre alt. Sie kommt aus
München. Monika ist Altenpflegerin von Beruf und arbeitet
Schicht. Das heißt: Sie arbeitet tagsüber oder am Abend.
Manchmal arbeitet sie auch in der Nacht.

Reza und Monika haben einen Sohn, Leon. Er ist 15 und geht
noch zur Schule: von Montag bis Freitag von 8 bis 13 Uhr.
Am Dienstag und Donnerstag hat Leon auch am Nachmittag
Schule. Aber im Juli endet die Schule. Ein Glück! Am 1. August
beginnt die Ausbildung: Leon möchte Maler werden.

E2 Lesen Sie noch einmal und ergänzen Sie die Namen.

a Reza ist Koch
von Beruf.

b .... ist Schüler.

c .... hat eine Ausbildung
als Altenpflegerin.

d .... kommt nicht aus Deutschland.

E3 Was machen Sie? Wann arbeiten / studieren / lernen Sie? Sprechen Sie.

> *Ich bin Hausfrau. Ich arbeite tags-
> über, am Abend und in der Nacht.*

> *Ich bin Arbeiter. Ich arbeite Schicht. Ich
> arbeite manchmal auch am Wochenende.*

> *Ich mache eine Ausbildung. Ich arbeite von Montag bis
> Mittwoch. Am Donnerstag und am Freitag habe ich Schule.*

F   Das kann ich

F   Was sind Sie von Beruf? Was für eine Ausbildung machen Sie?
Wann arbeiten Sie? Schreiben Sie einen Text. Mischen Sie die Texte.
Jeder liest einen Text vor. Die anderen raten: Wer ist das?

Berufe

der Altenpfleger / die Altenpflegerin ....

der Arbeiter / die Arbeiterin ....

der Arzt / die Ärztin ....

der Friseur / die Friseurin ....

der Hausmann / die Hausfrau ....

der Kellner / die Kellnerin ....

der Koch / die Köchin ....

der Maler / die Malerin ....

die Reinigungskraft ....

der Schneider / die Schneiderin ....

der Taxifahrer / die Taxifahrerin ....

der Verkäufer / die Verkäuferin ....

Ich bin ... (von Beruf). ....

Ich habe eine Ausbildung als ... .

Im Moment arbeite ich als ... .

Ich gehe zur Schule. ....

Ich möchte ... werden. ....

Ich mache eine Ausbildung. ....

Am Montag habe ich frei. ....

Ich arbeite Schicht. ....

Kleidung

die Bluse ....

das Hemd ....

die Hose ....

die Jacke ....

das Kleid ....

der Rock ....

das T-Shirt ....

der Pullover ....

schön / hässlich ....

teuer / günstig ....

Datum und Zeitangaben

am ersten Mai ....

tagsüber ....

am Nachmittag ....

in der Nacht ....

A Mein Bein tut weh.

A1 Rätsel: Wie heißen die Körperteile auf Deutsch? Verbinden Sie.

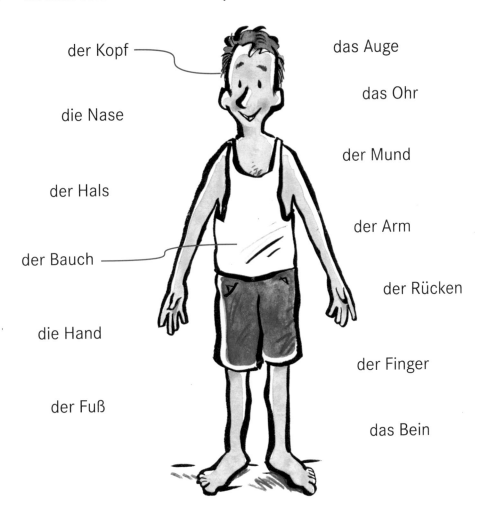

der Kopf

die Nase

der Hals

der Bauch

die Hand

der Fuß

das Auge

das Ohr

der Mund

der Arm

der Rücken

der Finger

das Bein

A2 Was tut weh? Ergänzen Sie.

a Mein _Bein_ tut weh.

Au!

b Mein _____ tut weh.

d Meine _____ tut weh.

c Mein _____ tut weh.

e Mein _____ tut weh.

A Mein Bein tut weh.

A3 Ordnen Sie die Wörter aus A1 zu.

• mein	• mein	• meine
Kopf		

> • der Kopf → mein Kopf
> • das Bein → mein Bein
> • die Hand → meine Hand

◀)) 91 **A4** Hören Sie und variieren Sie.

■ Was fehlt Ihnen?
▲ Mein Bein tut weh.

Varianten:

   • Hals   • Hand   • Nase   • Rücken   • Auge

A5 Kettenübung: Fragen Sie und antworten Sie.

■ Was fehlt dir/Ihnen?
   ● Mein Fuß tut weh. Was fehlt dir/Ihnen?
      ▲ ...

> du   Was fehlt dir?
> Sie Was fehlt Ihnen?

B Eine Hand, zwei Hände.

B1 Wie viele ... sehen Sie? Ergänzen Sie.

a ⟶ eine Hand ⟶ zwei Hände

b ⟶ .... ⟶ zwei Augen

c ⟶ .... ⟶ zwei Arme

d ⟶ .... ⟶ zwei Ohren

e ⟶ .... ⟶ zwei Füße

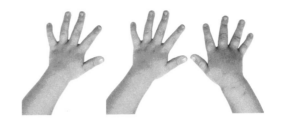

B2 Schreiben Sie Wortkärtchen. Arbeiten Sie mit dem Wörterbuch.

Auge, (das); -s,(-n) Teil des Gesichts, mit dem man sieht

B3 Wie viele? Schreiben Sie die Wörter aus A1.

ein Bauch, H......., K......., M......., R...............

zwei Ar......., A..............., B..........., F..........., H..............., O...............

zehn Finger

B4 Kartenspiel: Schreiben Sie Wortkarten: *ein Auge, zwei Augen; ein Ohr, zwei Ohren*. Mischen Sie die Karten und verteilen Sie sie. Sie suchen Paare. Haben Sie ein Paar? Legen Sie die Karten auf den Tisch.

● Ich brauche die Karte *ein Auge*. Haben Sie / Hast du die Karte *ein Auge*?

■ Nein, tut mir leid. Ich brauche die Karte *zwei Ohren*. Haben Sie / Hast du die Karte?

▲ Ja. Hier bitte.

ein Auge

zwei Augen

ein Ohr

zwei Ohren

C Ich bin erkältet.

◀)) 92   **C1**   **Was ist richtig? Hören Sie und kreuzen Sie an.**

        ○ Lisa geht es gut. Sie ist gesund.
        ○ Lisa geht es nicht so gut. Sie ist krank.

◀)) 93   **C2**   **Was sagt Lisa? Hören Sie jetzt das ganze Gespräch und kreuzen Sie an.**

⊠ Ich bin erkältet.
○ Meine Nase ist rot.
○ Ich habe Fieber.
○ Ich habe Ohrenschmerzen.
○ Ich habe Halsschmerzen.
○ Meine Arme und Beine tun weh.
○ Ich habe Husten.
○ Ich bin müde.

Die/Meine	Arme Beine Ohren	tun weh.

C3   **Sagen Sie es anders! Ergänzen Sie.**

a Ich habe Rückenschmerzen.   <u>Mein Rücken tut weh.</u>

b ....   Mein Bauch tut weh.

c Ich habe Ohrenschmerzen.   ....

d ....   Mein Kopf tut weh.

e Ich habe Augenschmerzen.   ....

f ....   Mein Hals tut weh.

C4   **Kettenübung: Was fehlt Ihnen? Sprechen Sie im Kurs.**

▼ Ich habe Kopfschmerzen.
   ■ Ich habe Kopfschmerzen und mein Fuß tut weh.
     ● Ich habe Kopfschmerzen, mein Fuß tut weh
       und ich habe Husten.
       ▲ Ich habe Kopfschmerzen, mein Fuß
         tut weh, ich habe Husten und ...

◀)) 93 **C5** Was sagt die Kollegin? Hören Sie noch einmal
das Gespräch in C2 und kreuzen Sie an.

a Trinken Sie Tee. ○	**c** Gehen Sie zum Arzt. ○
b Bleiben Sie zu Hause. ○	**d** Schlafen Sie viel. ○

Trinken Sie!
Schlafen Sie!

C6 Was passt zusammen? Verbinden Sie.

a Ich bin müde.   Gehen Sie zum Arzt.
b Ich habe Fieber.   Machen Sie Gymnastik.
c Ich habe Husten.   Schlafen Sie oder trinken Sie Kaffee.
d Mein Kopf tut weh.   Nehmen Sie eine Kopfschmerz-Tablette.
e Mein Rücken tut weh.   Trinken Sie Tee und nehmen Sie Hustensaft.

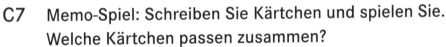

C7 Memo-Spiel: Schreiben Sie Kärtchen und spielen Sie.
Welche Kärtchen passen zusammen?

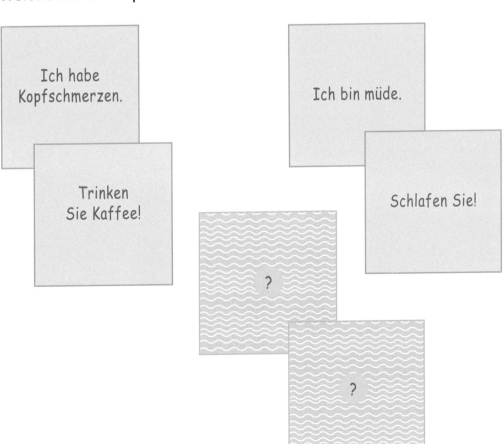

Ich habe
Kopfschmerzen.

Trinken
Sie Kaffee!

Ich bin müde.

Schlafen Sie!

?

?

D Beim Arzt

D1 Was passt? Ordnen Sie zu.

der Zahnarzt   die Frauenärztin   ~~der Hausarzt~~   die Augenärztin

A
> Dr. med. Matthias Rohrer
> **Facharzt für Allgemeinmedizin
> und Notfallmedizin**
> Sprechzeiten:
> Mo–Fr 8.00–12.00 Uhr

der Hausarzt

B
> Dr. med. Birgit Ondracek
> **Ärztin für Augenheilkunde**
> Mo, Di, Do
> 8.00–12.00 und 14.00–18.00 Uhr

C
> Christina Seidel
> **Fachärztin für Gynäkologie
> und Geburtsheilkunde**
> Di, Do 14.00–18.00 Uhr
> und nach Vereinbarung

D
> Dr. Jan Kleinert
> **Zahnarzt und
> Kieferorthopäde**
> Mo–Do 8.30–18.00 Uhr
> alle Kassen

D2 Welcher Arzt passt? Ergänzen Sie.

a Frau Ramdan ist schwanger.   die Frauenärztin

b Arif hat Zahnschmerzen.   ....

c Herr Wu ist erkältet.   ....

d Khaleel sieht nicht gut.   ....

D3 Hören Sie und lesen Sie.   ◀)) 94

● Guten Tag. Mein Name ist Ahmadi.
  Ich habe um halb neun einen Termin.
▲ Haben Sie eine Gesundheitskarte
  oder einen Krankenschein?
● Ja. Hier bitte.
▲ Danke.

D4 Sprechen Sie das Gespräch in D3 mit Ihrer Partnerin / Ihrem Partner.

◀)) 95 **D5** Hören Sie und ergänzen Sie.

a Herr Ahmadi hat ....

b Er hat die Schmerzen schon .... Tage.

c Er hat kein ....

◀)) 96 **D6** Was sagt der Arzt? Hören Sie das ganze
Gespräch und kreuzen Sie an.

A ○ Machen Sie bitte den
Oberkörper frei.

B ○ Ich gebe Ihnen
eine Spritze.

C ○ Bleiben Sie
im Bett.

D ○ Trinken Sie viel
Wasser und Tee.

E ○ Nehmen Sie die
Tabletten. Immer
eine Tablette am
Morgen.

F ○ Ich gebe Ihnen
ein Rezept für
ein Medikament.

D7 Suchen Sie im Telefonbuch oder im Internet
drei Ärzte in der Nähe. Notieren Sie: Name,
Telefonnummer und die Sprechzeiten.

....

....

....

....

....

Frauenärztin
Dr. Sandra Pavlic
68307 Mannheim
Tel. 0621/833-00
Mo, Di, Do, Fr 8.00–12.30 Uhr

E Das kann ich

Zum Schluss: Lernstationen. Was haben Sie alles gelernt? Verteilen Sie die Kärtchenspiele aus allen Lektionen im Kursraum. Was möchten Sie noch üben? Entscheiden Sie mit Ihrer Partnerin / Ihrem Partner.

Wie geht es Ihnen?

Wohn en Sie in Berlin ?

? in en Wohn Berlin Sie

● Was ist das?
◆ Das ist eine Post.

Mein Körper

der Kopf, ⸚e ....

das Ohr, -en ....

das Auge, -n ....

der Mund, ⸚er ....

der Hals, ⸚e ....

die Hand, ⸚e ....

der Bauch, ⸚e ....

der Rücken, - ....

das Bein, -e ....

der Fuß, ⸚e ....

Über Beschwerden und Schmerzen sprechen

Mein Hals tut weh. ....

Meine Ohren tun weh. ....

Ich bin krank / gesund. ....

Ich habe Fieber. ....

Ich habe Zahnschmerzen. ....

Ich habe Husten. ....

Ich bin müde. ....

Ich bin erkältet. ....

Ratschläge

Trinken Sie Tee. ....

Bleiben Sie zu Hause. ....

Gehen Sie zum Arzt. ....

Schlafen Sie viel. ....

weitere wichtige Wörter

schwanger ....

das Rezept ....

die Gesundheitskarte ....

der Krankenschein ....

Das Zimmer

das Regal
die Pflanze
das Sofa
der Tisch
die Lampe

der Fernseher
das Bild
der Sessel
das Bett
der Teppich

Das Badezimmer

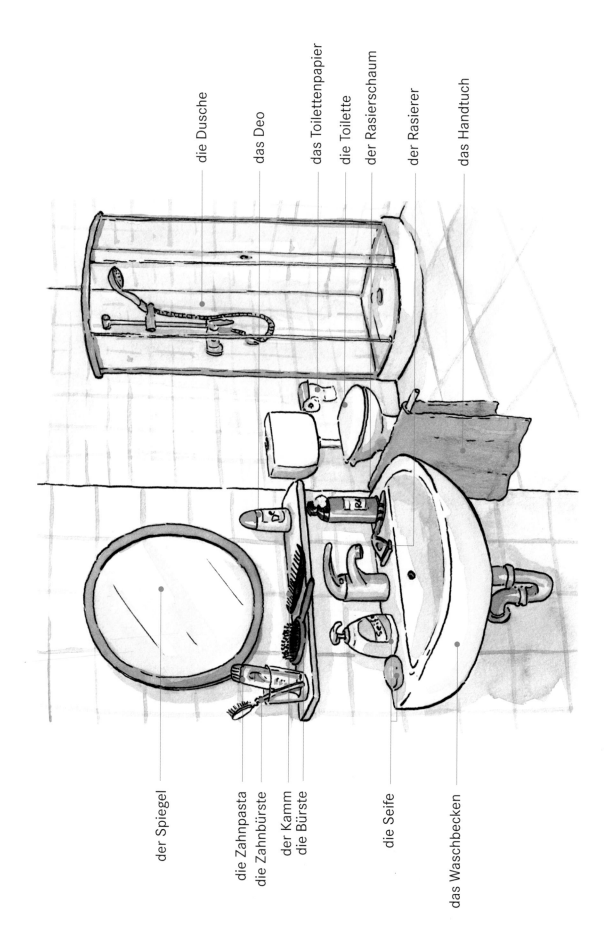

die Dusche

das Deo

das Toilettenpapier

die Toilette

der Rasierschaum

der Rasierer

das Handtuch

der Spiegel

die Zahnpasta
die Zahnbürste

der Kamm
die Bürste

die Seife

das Waschbecken

Die Küche

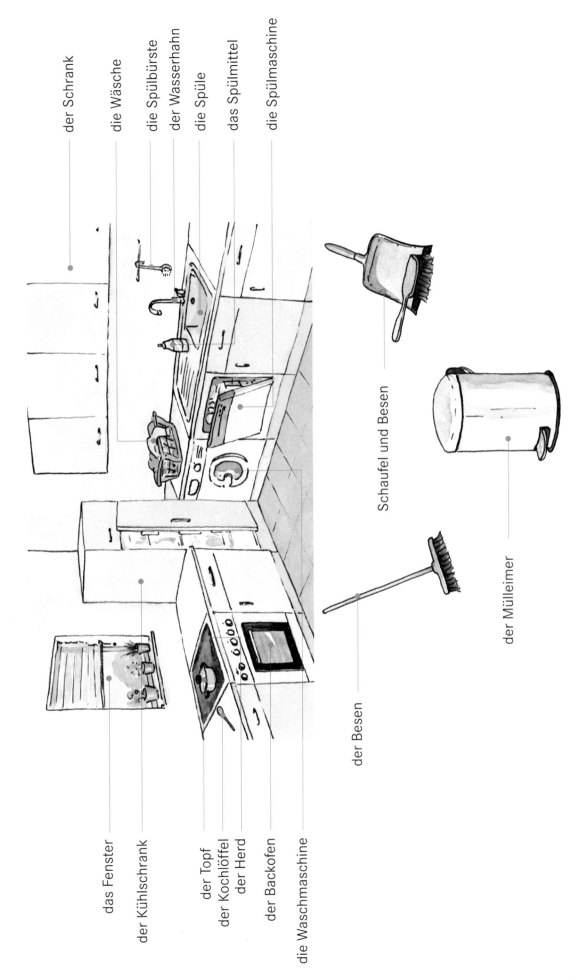

der Schrank

die Wäsche

die Spülbürste

der Wasserhahn

die Spüle

das Spülmittel

die Spülmaschine

das Fenster

der Kühlschrank

der Topf

der Kochlöffel

der Herd

der Backofen

die Waschmaschine

Schaufel und Besen

der Mülleimer

der Besen

Das Frühstück

die Frau
die Butter
die Tasse
das Messer
das Salz
die Milch
der Junge
die Schale
der Löffel

der Mann
der Teller
das Ei
das Glas
der Käse
das Brötchen
die Gabel
der Tisch
der Stuhl
das Mädchen

In der Stadt

die Kirche

der Bahnhof

die U-Bahnstation

die S-Bahnstation

das Auto

das Fahrrad

das Hotel

die Post

die Linie 53

der Bus

die Bushaltestelle

Auf dem Markt

der Apfel / die Äpfel
die Erdbeere / die Erdbeeren
die Aprikose / die Aprikosen

die Banane / die Bananen
die Tomate / die Tomaten

die Zwiebel / die Zwiebeln

der Preis / die Preise

die Ananas / die Ananas
die Pflaume / die Pflaumen

der Salat / die Salate
die Zitrone / die Zitronen
die Paprika / die Paprika

die Kartoffel / die Kartoffeln

Unterwegs

der Baum
die Wiese
der Park
die Kirche
die Bibliothek
das Rathaus
der Kindergarten
das Restaurant
der Spielplatz

der Zoo
der Kiosk
das Kino
die Bank
die Straße
die Post
das Hotel
das Auto

Schilder und Piktogramme

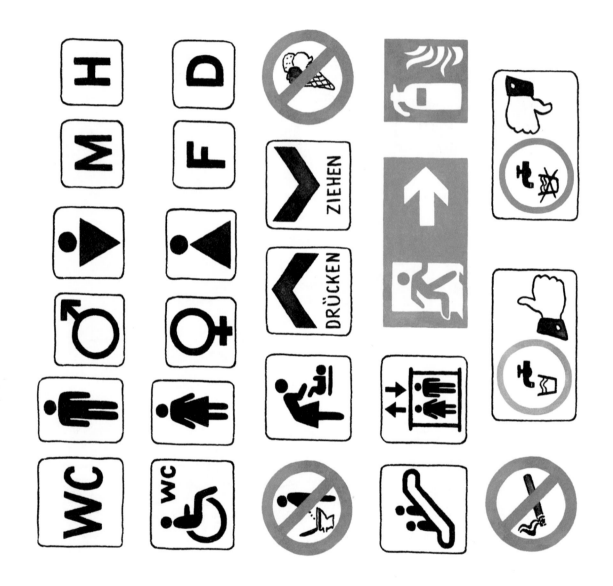

Grammatik

Nomen Lektion 2, 8, 9, 10

1	2,3 ...
• der / ein / kein / mein Bruder	• die / keine / meine Brüder
• das / ein / kein / mein Kind	• die / keine / meine Kinder
• die / eine / keine / meine Schwester	• die / keine / meine Schwestern

Verben Lektion 1 - 10

	kommen*	heißen	haben	sein	sprechen	lesen	essen	nehmen
ich	komme	heiße	habe	bin	spreche	lese	esse	nehme
du	kommst	heißt	hast	bist	sprichst	liest	isst	nimmst
er / sie / es	kommt	heißt	hat	ist	spricht	liest	isst	nimmt
wir	kommen	heißen	haben	sind	sprechen	lesen	essen	nehmen
ihr	kommt	heißt	habt	seid	sprecht	lest	esst	nehmt
sie / Sie	kommen	heißen	haben	sind	sprechen	lesen	essen	nehmen

Kommen Sie! Gehen Sie! Nehmen Sie!

*auch so: *wohnen, gehen, spielen, kaufen, ...*

Fragen und Antworten Lektion 3, 4, 5, 6

Woher	kommen	Sie?	Aus Irak.
Wie	ist	Ihre Adresse?	Lübkestraße 28.
Wo	wohnst	du?	In Hamburg.

Kommen	Sie	aus Irak?	Ja. / Nein.
Wohnst	du	in Hamburg?	Ja. / Nein.

Wann?	am Montag
	von Montag bis Freitag
	um 9 Uhr
	von 8 Uhr 30 bis 12 Uhr 45
	am Morgen, am Abend
	im Januar, Februar, ...
	am ersten, zweiten, ... April

Quellenverzeichnis